国家出版基金项目
NATIONAL PUBLICATION FOUNDATION

《三联经典文库》

第二辑

2012 年国家出版基金项目

三联经典文库

170

教育哲学

张栗原　著

生活·讀書·新知 三联书店

图书在版编目(CIP)数据

教育哲学 / 张栗原著. -- 北京 : 生活·读书·新知三联书店, 2014.1
（三联经典文库第二辑）
ISBN 978-7-108-04679-6

Ⅰ.①教… Ⅱ.①张… Ⅲ.①教育哲学 Ⅳ.①G40-02

中国版本图书馆CIP数据核字(2013)第246465号

170 教育哲学

责任编辑　胡群英
封扉设计　蔡立国
责任印制　郝德华
出版发行　生活·讀書·新知 三联书店
　　　　　(北京市东城区美术馆东街22号)
邮　　编　100010
经　　销　新华书店
印　　刷　北京鹏润伟业印刷有限公司
版　　次　2014年1月北京第1版　2014年1月北京第1次印刷
开　　本　787毫米×1092毫米 1/32　印张 10.25
字　　数　143千字
定　　价　38.00元

《三联经典文库》出版缘起

适逢生活·读书·新知三联书店八十华诞，为弘扬传统，接续文脉，回报读者，服务社会，我们决定策划出版《三联经典文库》。

1932年7月，生活书店在上海创办，此后，读书出版社和新知书店相继成立。本文库第一辑、第二辑所选图书，来自于这三家出版单位及其分支机构，以及1948年生活·读书·新知三联书店成立后的出版物，始于1932年，截至1951年，两辑各一百种。此为第二辑，涉及政治、经济、社会、军事、思想文化诸领域，涵盖专著、文集、散文、小说、诗歌、传记、报道等体裁，既有直面现实、追求真理、讴歌真善美、抨击假恶丑的原创作品，又有引介世界各国先进文化、传播新知、开启民智的迻译之作，真实记录了那一代知识分子的思考与探索、理想与愿景和对中华民族文化传承与创新所做出的努力与贡献。

本文库所辑入各书，多为名家名作，在版本方面，以初版一印本或经著译编者审定、修订、增订过的版本为首选，因此本文库又具有较为珍贵的版本价值和收藏价值。

本文库还将编选续辑，使之成为恢弘文化工程。诚挚希望读者给予批评和指正，帮助我们完善编选工作，再现三联经典作品之风采。殊为遗憾的是，由于年代久远，一些原著译编者及其后人未能取得联系并奉付稿酬，诚盼版权所有者与我们联系。祈愿三联前辈所创造的精神财富能薪火相传，为中华文化的伟大复兴增光添彩。

《三联经典文库》编辑委员会

2013 年 8 月

凡　例

一、本文库为重排本，由繁体字竖排版改为简体字横排版。

一、以忠实于原作、整旧如旧为编辑原则，对当时使用的专有名词、外文译名，以及民国时期的语言和特色予以保留。

一、原书注释如旧，编者所出的注释，均以“编者注”标明，以示与原书注释的区别。

一、对原书残缺或字迹漫漶之处，以□示代。

一、对繁简文本转换时的“如右”、“见左”一类，对应改为“如上（前）”、“见下（后）”。

一、对原书中各种错讹脱衍之处，直接订正，不再以其他符号标示。

一、对数字、标点符号的用法，在不损害原文语义的情况下，做必要的规范。

一、本文库各书均前插原书书影、原书版权页和文库版“本书出版说明”。

一、本书出版说明的撰写，以客观中立为原则，扼要介绍本书的内容、版本流转、著译编者的情况。

本书出版说明

本书是张栗原于1939年起在大学讲授教育哲学课程的讲义，是其逝世后由同事整理出版的。全书分两编，前编是初稿，写作时间为1939至1940年，共六章，为引论、教育学的诸问题、哲学的诸体系、唯物论的教育哲学、观念论的教育哲学、唯用论的教育哲学；后编是1940年以后重写的，著者当年计划要把初稿重写一遍，但可惜完成的只有三章，即教育本质论、教育目的论和教育价值论。前编和后编的内容有根本性的不同，也体现了著者思想和认识的变化，后编中著者已开始用辩证唯物主义和历史唯物主义的观点来研究教育哲学。虽然是两份稿子的合编，且内容不很完整，但大致可以窥见著者的见解和教学方法。讲义重在介绍和评价，就教育的本质、目的、价值等，对各派学说竭力简明地介绍，公允地评价，且在分析和解决问题的观点和方法上有很大的创新，书中提出的问题，有些至今尚有研究价值。

本书由生活•读书•新知三联书店于1949年6月初版，后于当年11月再版。此次出版，即以再版为底本。

张栗原（？ -1941），出生日期不详。1937年在广东省立勷勤大学教育学院（后更名为广东省立文理学院）任教，主讲哲学概论、教育社会学、教育生物学等。后随学院辗转搬迁，1939年主讲教育哲学。翻译了摩尔根的《古代社会》，编译了《社会科学理论之体系》，主编《哲学词典》，著有《现代人类学》、《教育生物学》、《教育哲学》等。1941年8月病逝。

生活·读书·新知三联书店

2013年8月

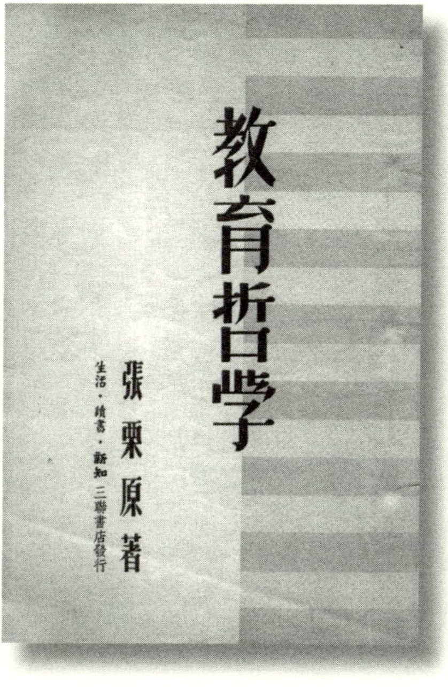

1949年11月再版书影

教育哲學

著者　張栗原
發行者　生活·讀書·新知三聯書店
北京　天津　瀋陽　大連
哈爾濱　濟南　開封　西安
上海　廣州　香港　長沙
基本定價　九元四角
外埠酌加郵運費
出版期　一九四九年六月初版（滬）
一九四九年十一月再版（滬）
印刷者　新華印刷廠
上海西康路四八九號

〔553〕〔Q257〕3001—8000（P.224）

原书版权页

目次

序

栗原这份遗稿——《教育哲学》——终于出版了，这是值得快慰的。

遗稿共有两份：一份是初稿，写成的时间大概是民国廿八年至廿九年，现在列为前编。又一份是廿九年以后重写的，现在列为后编。前编原稿共七章。其第七章是结论，分两段——我们的回顾，我们的反省——约四千多字，颇简单的，而这几页原稿虫蛀霉烂，极不完整，只好把它割爱了。

后编在著者当年是有计划要写成一个系统的，他原定目次如下：

第一章　导言

一　教育哲学的重要性

四　新唯物论的哲学与其教育（未成）

第七章　当前中国的教育哲学问题（未成）

看这目次，便可晓得当年著者是要把初稿重写一遍的，可惜完成的只得第二、第三、第四共三章，第一章第三节全未动笔，第六章只写成第一节，而第五章及第七章则连节目也未拟定。现在后编只列这三章完成的——教育本质论，目的论及价值论。

栗原应广东省立勷勤大学教育学院之聘，在民国二十六年秋季。那时淞沪抗日战争已全面展开，广州也在昼夜受轰炸，教育学院迁梧州开课，他就从上海经香港直抵梧州，主讲哲学概论，教育社会学及教育生物学。二十七年冬他随学院由梧州北迁融县，二十八年秋季又由融县迁回粤北乳源，学院改名为广东文理学院，他主讲教育哲学是从这年起。二十九年春学院又迁入连县东陂，始稍得安定。这一年，文理学院曾发行月刊数期，栗原正在重写其《教育哲学》，其导言之第一、第二、第四节，本质论及目的论均先后在月刊发表过。三十年春季，他病发了，虽还力疾授课，而写作中止了。八月逝世之后，遗稿付助教蔡英华君整理，除《教育生物学》（桂林文化供应社出版）外，《教育价值论》一章曾付《教育新时代》第三卷第八九期合刊发表。

去年暑假，我由桂林回到广州，中山大学朱智贤先生来说，中大教育系伍觉铿君获存栗原《教育哲学》油印稿一份，同学们纷纷抄录传诵，想设法出版，以广流传。稿子送来看，我晓得是初稿，乃嘱他函请蔡英华君把曾经著者重写的那几章稿子寄来，两份稿子合编起来共得九章，虽还不很完整，然大致总可窥见著者的见解了。两稿原都是讲义，对于各派学说都竭力简明地介绍，公允审慎地批判，以期初学者易得正确的理解，由此也可窥见著者教学方法底一斑。处此新旧世界递嬗之交，教育哲学正在形成底中途，“曼拿华枭鸟必要等日落时才飞出来”。毕竟是要飞出来的。著者这份遗稿，承生活书店惠允出版，于今后教育学术界决不会是徒然的事！

栗原和我共事足四年，直到他长眠，他治学底谨严，处世底温厚公正，给我以不会磨灭的印象。今天给他序这遗稿，固然得一番快慰，而念及在连县城他坟前的青草，飘零的遗族，又不禁恻然。这遗稿不是封禅书，而得一大群青年爱读，他虽长眠于连县冷清清的荒郊，也不算太寂寞罢！

林砺儒

三十六，五，二十，于广州。

前　编

第一章　引论

一　教育与哲学

在人类中间，每一代的成人把自己所承受所获得的技术知识、道德、信仰，殷勤地传递于后一代的来者，使成为自己所特有的社会组织的成员；这**就是所谓教育**。凡技术知识、道德、信仰以至社会组织等等，可以统称为文化。教育是文化的传递。靠了教育，人类不只和动物一样有生命的遗传，还有那文化的遗传，使它在进化的途程上能够不断地继长增高，而成为万物的主宰。

文化的遗产，还在微薄的时候，传递也并不感到困难，只要循着传统的教训，谨守而勿失好了。到了文化的总绩愈来愈繁，而文化的演变，愈趋愈剧，这时候传递什么，和怎样传递，便成为教育者论争的问题了。可是无论怎样，每一代的成人，总愿意依照自己能够见到的最善的人生的理想，来将一部分最善的文化的遗产，传给下一代的后人。这人生的理想，人生自身当然也就是文化的一部分，而且是其中最高的一部分。人生有如何的意义，从什么源头来，到什么归宿去？怎样才算是最善的生活？对于这种问题，不论自觉不自觉，每个人都有他的所信，而人生观又决定于他的宇宙观。要问人生的起源和归宿，须得先明白它在宇宙中所占的地位，所发生的关系。举一简单的例来说，相信世界是神或最高的理性的实现的人，看得人生是自具“目的性”的。虽人事靡常，而全体是一个秩然的条理，能够体现这条理，便发挥了人生最善的意义。反之，相信人类只是自然的一部分，而自然界虽有条理，这条理无非是“机械性”的因果的相联，只要找出这因果的相联，而有以满足自己或人群的欲望，便是人生最善的理想了。两种不同的宇宙观，必然地引起两种不同的人生观来，这浑然的宇宙观和人生观**就是所谓哲学**了。

不论自觉不自觉，每个人都有他的哲学。不过这种浑然的宇宙观和人生观，还不是专以探寻真理为事的哲人或哲学者的所谓哲学。在学术上所谓哲学，它的主要问题，虽则依然和常人一样是宇宙与人生，可是它是哲学者对于真理的自觉的探寻，有它的确定的内容和确定的方法的。

原来在学术上，各门科学都与宇宙与人生的理解有关。从数学以至天文学、地质学、物理学、化学、生物学等都是研究宇宙或自然的一部或一面的现象和作用的。从人类生理学、心理学以至各种社会科学，都是研究人生的一部或一面的现象和作用。当得起称为科学，必是认定了一个对象，用系统的精确的观察或实验的方法，推究出现象中的因果的关系而对于它们的作用能够预测或控制的。就因为这预测和控制的成功，近代科学造成了无数惊人的奇迹。然则研究宇宙和人生，还用得着什么哲学呢？各科学术，譬如合组一个家庭。在学术史的发展上看，哲学本来已是衰颓的祖父，而科学是一个少壮的强健的子孙，现在这祖父不但不老死，反因子孙的供养而精神依然的完整充强，他的受人尊敬，显然因为这人家，有不能不仰他处。那子孙各执一份产业，而自给自足了，无奈这家产业增殖虽繁，彼此间抵触或矛盾也很大。只有那祖父能给他们一一厘清，调和得像个样子；也只有他能给他们一一汇合留下一笔总账。哲学的内容，以后再说，它的方法，则就在于厘清和汇合，用术语来说，在于批判和综合。

各科学各守自己的范围，各有自己的收获，可是和别科有何抵触矛盾，它是无暇问的。物理学的定律，如不能适于生物学，自然科学的概念，如不能转移于社会科学，这在科学者中间，是谁也不去理会的。只有哲学者凭着探寻最后的（他所能得的最后的）真理的坚信，尽管那些法则概念，在各科各自可以成立的，在他还是要寻根究底，予以深刻细密的批判，在各科各自孤立而互相矛盾的，在他还是要统一归宗，给以调和完整的综合。这样，哲学对于宇宙与人生的理解是批判的（Critical）综合的（Comprehensive or Synoptic）理解，我们如给它一个定义便可说：

哲学是对于宇宙与人生的批判的综合理论。

注意这里所谓"综合"（Synopsis）不是寻常的"分析"（Analysis）、相对的"综合"（Synthesis），而是兼包二者的“统一”。如安诺德（Mathew Arnold）所说“哲学是凝视人生，凝视人生的全体”的尝试。综合是作全体看的意思。常人决不会没有宇宙观和人生观，决不会没有所信，可是他的看法，往往凌乱分歧，先后矛盾。一时看这世界，秩然有理，信为是一个“目的”的完成；异时看来，或又觉变化无常，只不过是一串“机械”的盲目的力的联系。从人生的一面看，显出有“目的”的渐现，而充满着乐观，从另一面看，却又只是“机械”的力的支配，只是定命而毫无自由，随着偶然的遭遇，而容易陷入于厌世。常人可以这样，哲学者决不肯这样。他必作全体观，思索出一个或几个统一的原则，以解释一切，贯通一切，这事原不容易做，无奈既是哲学者，决非做到不休，所以杜威（John Dewey）说：

哲学是一种综合的尝试：那是说它要将人生和宇宙的丛杂的事象，汇合成一个包括一切的全体，这全体或是一个统一体或在二元的体系里，也要将多数的事象，还原成少数的最后的原则。[1]

二　教育学与教育哲学

以上我们说到教育和哲学，因教育的施行，依于教育者所能见到的最善的人生的理想，我们可以说每一社会在每一时代的教育，被决定于它在那时代所有的哲学，不自觉的或自觉的，现在我们要进而说明所谓“教育哲学”（Philosophy of education）。

近代教育的事业随着经济的发展与文化的发展，而有特异的发展。对于教育的自觉的研究（教育学）也成了学术上一种独立的学科，而且不久要求称为独立的“科学”了。

教育学的列于大学的课程，最早是一七七六年康德（Kant）在哥涅斯堡大学（Konigsberg）以哲学教授为主的教育学演讲。康德逝后，海尔巴脱（Herbart）继承他的讲座于一八一〇年设教育研究所，自己主持，历二十

[1] Dewey: *Democracy and Education*, P.378，邹恩润译:《民本主义与教育》，商务，页五八九。这里文句不照邹译本。

二年，成为现代教育科学的先驱者。他的弟子有两派：一派如思托伊（Stoy）和来因（Rein）继续着教学方法的试探，一派是冯德（Wundt）却开了实验心理的纪元。除德国以外，在英法美等国，到十九世纪中叶，大学里也多设了教育学的讲座。那时的教育学，还是哲学的一大支流而已。

近五十年来教育与心理学者，以自然科学的方法，研究它们的问题，始另开拓了一新的园地，而有丰盈的收获。任举几个例如比纳（Binet）、堆孟（Terman）的智慧测验，桑戴克（Thorndike）、欧叶斯（Ayers）的教育统计和学力测验，桑戴克、苛勒（Kohler）的学习心理都有很大的影响。此外小学中学各科的教育方法和心理过程，固然多有实验的研究，就是学校行政组织和经费，也多用统计的方法，从事客观的调查，到近来教育的书籍里面，也常见数学的符号公式和统计的图表，大家说教育学已经是一个独立的科学了。

然而教育的科学方法的研究，到底只是教育学的一部分而不能概括它的全体。为什么呢？如我们以前所说，教育基于人生的理想，教育的目的，不能拿来作数学的分析，更不能拿来放在实验室做实验。教育的内容（课程）是文化，文化的传递，又必基于人生的理想。虽则美国有些人想用统计的方法来处理课程的问题，而问题亦并无真解答。连教育的方法，看似被决定于心理的过程，实则背后依然有极大的哲学问题。我们以后还须细说，在我们一点不轻视教育的科学的研究，不过一则如波特（B. H. Bode）所说：

> 偏重统计方法测验的应用的结果，使理想和欣赏的意义，隐晦了许多。只企图节目上的成功，便有忽略了大纲的危险。试问我们若不知向那里走，而单走得快，究有什么安慰呢？[1]

二则教育科学和别的科学一样，其所得结果，在自身特定的范围里，是满足的，但一安放在人生的全体上来看，便分歧与矛盾层见而叠出了。所以在教育学里，

[1] Bode：*Fundamentals of Education*，孟宪承译：《教育哲学大意》，商务，页一五九。

除所谓“教育科学”(Science of education)而外，还有“教育哲学”的屹然不动的地位。英国有一位教育学权威斯密士(H. B. Smith)说：

> 教育哲学要尝试从人类经验的全体上，来解释教育过程的意义。它的任务，和历史哲学或宗教哲学相仿，它利用教育科学所得的结果，而从一个更综合的观点来考察这种结果。教育科学的目的，在于事实的发现，原则的制成……。要得到这些事实原则的评价，就必需有教育哲学：它根据基本的原则而供给一个解释。[1]

现我们试给教育哲学一个顶简单的定义。哲学既是对于宇宙与人生的批判的综合的理论，以哲学的方法或态度，应用于教育哲学的探究，那么**教育哲学便是对于教育的批判的综合的理论**。

所以**教育哲学是教育学的一个部门**，或说是教育的

[1] Watson: *Encyclopedia and Dictionary of Education.*

研究上一个综合的阶段。我们学习了若干门的教育学程，而对于教育知识还不免凌乱，理解还不免模糊，我们不能不求自己知识理解的厘清和汇合。美国一位对于高级师范教育极有经验的哲学家说：

> 美国中小学教师的训练，已进到一个阶段，使得每个将来的教材，除学科内容和方法的学程以外，还有另一点需要，就是教育的哲学的基础。这样一个学程，先要从探求人类发展的过去上，对于现在教育的理论与实践有什么主要的势力，而后将学生所已习的生物学，心理学，社会学，教育学以及较少相关的诸学程，给予一综合组织。这样，教育哲学是一个统合的学程，或说得更好些，是一集中的学程。[1]

这学程常配列于专业课程之最后一时期，即因是故。

[1] Doughton：*Modern Public Education*：*Its Philosophy and Background*，Preface.

当然教育哲学同时是哲学的一个部门。哲学（纯粹哲学）是宇宙与人生的全体观，哲学者既各有对于人生的最善理想，便不能不拿它来教人，以求得理想的最高的实现。在这意义上，我们可以跟着杜威说："哲学是教育的一般的理论，而教育是哲学的实践。"[1]更深一层说，教育学也就是哲学。因如意大利观念论大师香梯尔之看法，教育学根本问题在于：（一）人自然地如何发展；（二）人应然地如何发展。前者是心理学所探求；后者是道德学所探求，而这自然与应然的对立的统一，便是哲学。所以教育学与哲学是合一的。[2]从来伟大的哲学者，同时各有其教育理论甚至实践。这事实，充分证明了上述的论点。

我说教育哲学是教育学的一部门，同时也是哲学的一部门，读者却不可误会，以为这样就不过是"教育与哲学"的杂糅，而忘却了"教育的哲学"的整体。如我们从哲学里零碎地掇取一些材料，又从教育学里零碎地搜罗几个问题，配搭凑合起来，便算教育哲学，那就不

---

[1] Dewey：*Democracy and Education*，p.387，邹译本，页六〇三。

[2] Thomson：*The Educational Philosophy of Giovanni Gentile.*

但有玷哲学的美名，也大失研究教育哲学的用意。在学术上自成一个部门的东西，必有它的整全的体系。以往欧美也很有几本书，就只是那样“哲学与教育”的配合。我的意思，却以为教育哲学，至少从教育学的立场上说：**应从教育的问题出发批判地综合地建立它的理论，亦归宿到教育的问题的解答**。纯粹哲学是最基本的，却也就是勉强地拿它来说明教育，拿它来应用于教育，而是因它把宇宙与人生作全体看。教育这项人生的活动，是不能自外于它的影响的。也许哲学者讨论教育问题时，可先从哲学问题说起，而在我们教育专业者讨论教育哲学时，必然地先从自身的教育问题说起的，否则这种讨论，至少在表面上看不出有何用处。无论怎样，我们不可忘了教育哲学必然地自己是一个整全的体系，比利时学者德贺夫（De Hovre）说：

> 教育哲学从教育的眼光考察哲学的基本问题，也从哲学的眼光考察教育的基本问题。[1]

我是着重在从哲学的眼光来考察教育的基

[1] De Hovre：*Philosophy and Education.*

本问题的。直到这里，我没有触及你们的“民众教育”这门功课的名词。民众教育与教育哲学又是如何的分家呢？以往所谓民众教育每陷于狭窄的成人教育的限域。而我的意思，始终认为民众教育是大多数人民的教育。[1]

民众教育的运动，只是为大多数人民争取教育机会的运动，在现代教育学里所谓教育，总是指大多数人民的教育而言，决不是如十八世纪洛克（Locke）、蒙泰尼（Montagne）的著作里所指的少数个人特享教育。现代教育上一个主要运动，便是争取教育机会的平等普遍的运动，虽则为研讨的专精的便利，我们分立“初等教育”、“中等教育”、“民众教育”等学程，实则整个的教育，是不好分家的。教育学自身还是一幼稚的学科，其所已得的事实和原则，比起别的科学来是十分微薄而简陋的，经不起一再分家，以致同一事实，同一原则，作几次不同的说法，弄得初学者反而愈谈愈模糊，越来越凌乱。哲学是作全体看的方法或态度。在教育哲学里

[1] 见前编《民众教育》（世界）。

面，我们是不分什么教育的，虽则你们从事民众教育的时候，所感到的特殊问题，我愿意特殊地表现出。

三　为什么研究教育哲学?

读者不要怀疑，以为我在讲着或写着教育哲学，因此故意把它说得有如何如何用处。这样想，是倒果为因。事实上，因为教育哲学有它的用处，我们才费心思来研究它的。然则教育哲学有什么用处呢?

（一）它以综合的理论来衡量教育的知识。任何学问，都是知识，教育是包括若干正确的事实和原则的。可是如斯密士说的:“要得这些事实原则的评价，就必须有哲学。”没有经过评价而随意搜集来的事实和原则，并不能算真知灼见，不能算真知识。举例来说，在教育目的上，主张民族的集体纪律和主张个人的自由发展，两个很好原则彼此是有些矛盾的，如不能统一这矛盾，而一时高呼集体纪律，一时又赞扬自由发展，便见得对于两者都没有真知，没有确信。又如教育方法上，桑戴克的机械观的学习定律和杜威的目的观的智慧发展，两者都言之成理，而彼此也是有些矛盾的。如不能统一这矛盾，而今日做桑戴克的信徒，明日做杜威的走卒，便见得对于两说都无真知，无确信。总之片断的零碎的知识凡未放入自己思想的体系里，来衡量过了而后接受的，并未真正的接受，也不是真正的知识。在自然科学里，每一科学的事实和原则，各自构成一体系，还无这样严重的困难，在教育学——其中只有一部的事实和原则，可用自然科学的方法来发现，另一部却非有综合的理解不可——这种从全体上来衡量的态度，是求得真知确信所必需的。

无真知和确信，那么教育学的知识，也无何用处，只是这么许多文字符号而已。试想一个任何集会，讨论到教育问题，大家都发表“意见”（Opinion），最后集会中有所谓“专家”在，大家总格外考虑他的主张。遇到几个专家有争论时，大家再凭常识和理解的程度来决定自己的取舍。无专家在，大家也先要采取对这问题比较有真知确信的人的意见。所以所谓意见，有一般人常识的判断和专家的判断之分，常识的判断，可解决许多教育问题，但有时受了情绪的影响，而易流于“偏见”

（Prejudice）；专家的判断，是通过理智作用所得的结果，是一种“确信”（Conviction）。因为是确信，即使有时不为多数人所尊重，亦不因而动摇。教育哲学的一个用处，就在于使我们估量自己对于教育的知识，获得真知和确信。而这又引到它的第二个更重要的用处。

（二）它以综合的理论来指导教育的实践。真知确信的重要，就因它能作为成功的实践的指导，如一人对于教育问题的意见，浮泛游移，分歧矛盾，他在实践上必定会觉到昨是今非，东扶西倒，而这种实践即使未曾没有相当的成功，而检核起来，必有许多气力浪费。我们姑不说负有教育上组织的计划的责任的人，就以任何一小部门的工作的人来说，例如一个数学教师，起初只着重机械的反复纯熟，后鉴于学生对于全体不能以理解来解答，才感觉思维的能力的发展的尤为重要，然而一部分气力已误用了。又如一位训育导师，起初只着重外表的行为的机械的整齐划一，后来鉴于学生离校后，很易把这习惯全部抛开，才感觉内在的态度的培养尤为重要，然机会已失，若论教育上的组织和计划，那就越容易显出理论的指导的作用。试想一个义务教育方案或一个民众教育实验，若因理论的动摇不定，致计划的一再纷更，能有多少结果呢？

教育哲学表现于国家教育事业上，便是“教育政策”（Educational Policy）。本编讲述教育哲学，专供一般学校教师或教育工作者探寻批判的综合的教育理论的参考，很少涉及我们国家的教育政策，可是道理是一样的。在我们个人缺乏了统一的理论的指导，尚且陷于实践上的歧趋与浪费，何况国家之大，教育事业之广，政策稍有错误，其牺牲与危害，又岂可估量？

第二章　教育学的诸问题

就其过程的性质上说，教育是社会文化的传递。这种过程，在人类生活里面进行，其始是**非意识的**或不自觉的。原始社会里，成人对于幼小者的技术、知识、道德、信仰的传授，是不觉地进行着的。到了文化的总积太多了，太复杂了，才有学校的组织，而非意识的，不自觉的教育过程，变成了意识的自觉的教学过程。但就在现代社会里，除学校所施行的教育以外，许许多多的社会组织，如家庭、农场、作坊、工厂、商店、教会以至各种娱乐、新闻事业、出版事业，都有巨大的教育作用，而能加以意识的控制的，只是最近才如此，也还只一部分才如此（所谓**“社会教育”就是对于各种社会的组织和活动所加意识的控制**，而使显明表现其教育的作用）。

什么叫作意识的呢？杜威说：

> 意识一名词，包括活动的有目的性（Purposeful Quality of an Activity），因为这种活动是受一个目的（Aim）的指导的。换言之，有目的的活动，是有意义的活动（To have an aim is to act with meaning）而不是像自动机械的，它是有意于做一件事，而从这意思上察觉事物的意义的。[1]

最高的目的性的活动是科学。它对于自然或人生各部门的现象和作用尝试**解释**（Explanation）、**预测**（Prediction）以后，加以意识的有目的的**控制**（Control）。近世科学的伟大成绩，就在它对于各种现象和作用，从人类自己的幸福上，能加以意识的控制。

教育学的所以可称为科学，也就在于它的把不自觉的教育过程，当作自觉的过程来研究。认定了它的目的，惟从预定的目的，决定它的内容，选择它适当的方法，

---

[1] 杜威：《民本主义与教育》，商务，页一八三。

检核它所达之结果（与预定目的相较）。前章提到哲学上有机械观和目的观对立，而教育之为一种目的性的活动，似乎无人怀疑。教育学的第一个问题，应即是目的的问题了。

一　目的的问题

读者从教育史上，读到各时代的教育者所定的教育目的，自从洛克（Locke，1634-1704）将教育目的分成体育、德育、智育三部后，斯宾塞尔（Spencer，1820-1903）在教育论著里，也袭这三分说。所谓“三育”至今流行于一般人的用语上。三育的内容是什么？则因名词笼统，当然随着时代而不同，目的因而没有指导的功用，就易变成空话。

我们提起洛克、斯宾塞尔的教育目的，并不是认他们的理论现在有怎样的重要性，从他们以后，在他们以前，有系统的教育理论的人，每个人各有所定的目的。我们用不着列举，也不能列举。我们的意思，是要借此引起近来美国教育科学上所谓“目标”决定的方法，以及我们的批判。

事情是这样，目的的说法，既人人不同，只有离开主观的歧异，求得客观的共同，此其一。目的既那样笼统抽象而不能据以决定教育的内容，只有避去抽象的空谈，求得具体的标准，此其二。美国教育科学者因此不论“目的”，而只论当前的分析的具体的一项一项的“目标”（Objective）。目标表成功，课程纲要也就编好了。做这种研究的人，可以巴必德（Bobbitt）、史乃顿（Snaden）为代表。单说巴必德吧，他所著《课程论》（*How to make a curriculum*）列举中学教育目标八二一条，而职业活动的一类尚不在内——因他说职业的分析，累百累千条而不能尽，他这目标是“依着二千七百个有训练有经验的成年人的一致判断”，是“芝加哥大学课程论一学程中一千五百个研究生，积十二年合作的努力，而得之结果，最近又将这表送给一千二百位中学教师，批评审查再加修正”。[1] 他的结果这样，是（一）客观的，是多数人的共同意见，（二）具体的，是社会环境的实际需要。至于他将所有目标归成语文、健康、公民、社

[1] Bobbitt：*How to make a Curriculum*, p.10.

交、休闲、精神、宗教、父母性、非职业的、职业的十项活动；或如史乃顿把它的目标，归成体格、职业、公民、文化四类教育，那倒不过是目标的类别，而不是其本身。这种什么什么教育，空泛和洛克、斯宾塞尔的旧名词一样，这是要误解的人负责的，不能归咎于他们。

根本上，所谓客观，在此是大有问题的。巴必德的“科学方法”只是一种“问卷调查法”（Questionnaire method）。波特（Bode）的批判是尖锐的，他说：

> 在这访问表格盛行的今日，这样的程序，是易得人赞同的。我们的习惯，是一遇疑难问题，自己惶惑不解，便去访问别人。别人也一样地惶惑不解，甚或对于这问题并未略加思索，却想集合众愚，而得一智慧的解答。尤可异者，他访问之结果，那些有思想的人共同判断，对于教育目标，意见竟是一致……试再检查他的能力表，便发现那意见巧合的原因，表中能力，大概有两种：一是实务的能力，如算洗衣账，露营，举火，出售汽车能获利等，

> 这是大家会同意，没有疑问的；一是意识含糊或应用浑泛的，如服从法律，承认义务，拥护高尚理想等。对于这些项目的同意有什么呢？……这名词后藏着极重要的事点，极分歧的主张，如忽略了，我们不是决定目标只是给各教师一种许可，让各人自立目标。[1]

至于根据具体的社会需要，而决定教育的项目，根本上社会有无变动发展呢？教育是不是仅仅保持固有的社会传统的呢？这更大有问题。所以波特又说：

> 我的论点是要从社会环境决定教育的目标，背后必须有一社会的方案或哲学。无一综合的理论根据，则所谓科学的教育，只成了精密的危机。我们单把依据人性，郑重思考的社会方案，唤作玄学或空想，而固斥之，并不能

[1] Bode：*Modern Educational Theories*，孟宪承译：《现代教育学说》，商务，页五三。

永远避逃我的责任。[1]

然则教育的目的或理想，不能如此机械的，所谓科学方法来决定，而一般人所论的教育目标的支离零碎，并不能就算是教育的理想已是显然的了。

我们已说过，凡有系统的教育理论的人，各有其所定的教育目的。我们看来是十分分歧而抵触的，为什么？就因它们背后的哲学是十分不一致的，这时我们尚未深究哲学上的不同的诸体系，只能将分歧的教育目的，先检阅一下，看一看它们背后所依据的哲学怎样地有决定的影响。

就其过程的性质上说，教育是文化的传递。在这过程中施教者代表的是社会，而受教者是个人。这过程所要达到的目的可从社会一面看，也可从个人一面看，虽则社会与个人是不可分地联系着的，而观点既不同，说话是可歧异的。

（一）**从社会的观点说**，教育要将社会所有的技术知识、道德、信仰传递于个人，使成为这社会各种组织

[1] Bode: *Modern Educational Theories*，孟宪承译：《现代教育学说》，商务，页五九。

（如家庭、田庄、作坊、工厂、商店，尤其是代表全体社会的国家）的健全的成员。事实上除教育者系统的理论以外，从来教育的施行，无不是从社会观点（也是施教者的观点）出发的。中国旧时代教育，特别像是重在家族伦理学的标准欧洲中古时代的教育，则特别受宗教信仰的支配。但大体上说，教育目的总不能离开国家政治的要求的，国家所定的教育目的，事实上高于一切社会组织或教育者个人所有的目的的。近代学校教育普及是国家的一种政策，学校教育的目的，更加是意识地由国家来决定——无论是由君主的敕令，议会的法律或是由行政机关的命令规程来决定。

教育目的由国家最高的权力来决定，应可统一了。然而并不。国家自身的理论，既十分分歧，连文化的认识也十分矛盾。如一类国家自认是全体民族的意志机关，另一类国家则公开地自承是一社会阶级对其他阶级的压迫工具，前者以为文化是民族性的，后者以为文化是阶级的。教育的理论又怎样能综合呢?

十九世纪欧洲民族国家运动达到高潮的时候，给前一说大声疾呼的是德意志哲学者菲希脱。他身历拿破仑战争中普鲁士所受的耶拿的辱屈，他以一八〇八年赴柏林，在法国铁骑纵横之下作他的不朽的演讲——这《对德意志民族的讲话》从此成了德意志民族国家主义的圣经。他的意思“文化”与“民族”是合一的，一群人民的能构成一民族，是靠着它的特有的文化——靠着它所特有的语言、文学、艺术、思想、信仰，所以德意志“文化”如沦丧，这民族也永不能自救。而代表民族意志的德意志祖国，是永不能复兴的。进一步他要求德意志人民信仰，只有他们的语言，是世界最纯粹的语言，只有他们的文学，是哲人诗人的文学，他们的科学艺术，是真正的科学艺术，他们的宗教，是真正的宗教。所以德意志文化照耀于全世界，是必然的，只须将全部教育，贯彻着这民族文化的精神，绵延而扩大这民族文化的总积。在这种教育里面，只有民族的意志，没有受教者个人的意志。

菲希脱的理论，后来经过黑格尔（Hegel，1770-1831）的更深化广化成为德国教育理论的正宗，至今德教育学的权威斯勃郎格（Spranger）、克里克（Krieck）以及意大利的香梯尔（Gentile）都守着这光荣的正统。

同时，就在德国随着产业进展中工人运动的进展，而有马克思（Marx，1818-1883）、恩格斯（1820-1895）的文化阶级性的理论。他们以为“全部人类的历史，只为为经济利益而进行的阶级斗争的历史”。所谓国家，不过是胜利的支配的阶级用以压迫其他阶级的工具，所以无产者并无祖国。“文化呢，也是胜利的支配的阶级用以钳制其他阶级的‘意识形态’。”所以无产者要推翻了它的而另建自己阶级的文化，除生产的技术知识以外，一切思想道德、信仰必须从这阶级的立场，重行予以评值，虽则最后理想总是一个“无阶级的社会”，而为那理想的实现，所采的手段，是绝无宽容的斗争。这种理论从十九世纪中叶起，散播在欧洲工人中，影响了他们很多很多的行动。但在国家教育上，并未发生什么影响。到一九一七年俄罗斯革命成功，无产者得到世界六分之一土地的祖国，才开始大规模的阶级教育的试验。苏联教育的目的，依品凯微支（Pinkevitch）说是：训练无产阶级的战士，在教育里，只有阶级（以及这阶级的国家）的意识，不许有任何受教者个人的意识。

我曾说，从来教育的施行，无不是从社会的观点，施教者的观点的，可是受教者总是一个个的个人，在文化的传递的过程中，施教者也不得不注意到个人发展的阶段和能力的差异。就从社会文化的自身考察，它的进步，也莫不由于个人的思想的解放。至于欧洲传统的宗教（基督教）宝爱个人自身的制度，更不必说，而十八世纪，法兰西大革命所予个人主义的刺激，至今在人类思想上是一个极大的力量。因此讨论到教育的目的，应从个人的观点来看一看。

（二）**从个人的观点说**，个人在社会文化的传递中间，获得了自己人格的发展，那就是说在教育的过程里面，每个人从幼稚达到了他的成长，达到了技术知识、道德、信仰等等的渐渐增加成长，这虽是同一命题的另一面的说法，而从这一面推演下去，结果却与社会观点发生极大的分歧。只要宝爱个人的自由，便不会无条件地承认社会固定的正宗的标准。

法兰西革命思想的先驱卢梭同时是新教育理论的先驱，他的所谓"复归于自然"意义虽然含混，而社会的自然是反专制的平等自由，个人的自然，是反独断的人格发展，这两点都没有疑义。卢梭以后，欧洲伟大的儿童教育导师裴斯泰洛齐（Pestalozzi，1746-1827）、佛罗培尔（Frobel，1782-1852）等，遂大倡自由发展的教育目的，说这些人不认识民族和社会的重要，是诬枉的，伟大的教育者，谁不充满着对于自己民族的忠心，对于人类社会的深爱？只是因为和儿童生活在一起的教育者，他们的用心，不能不深透到每个儿童自己的发荣生长，而且他们对于这种发荣生长的社会的意义，也各有其坚决不移的确信，这岂是不了解而可批判的呢？杜威自认他的教育思想，和佛罗培尔有相同点。若说教育是生长——是个人成熟增长的过程，生长的目的是什么？更多生长如有另外其他的目的的限制，那是生长的过程，靳于民主主义社会的确立，而民主主义，也即为自己发展的保障。真正倡导个性发展的人，如美国钠思是更极端的意见，例如他说："英人常引以自豪的事，便是他们过去历史中，坚持个性，自由观念，拒绝与任何外表很高明可是靠不住的利益相交换……。这历史的要求还建在什么基础上，如其不在以下的这个真理之上？这个有些人模糊见到，有些却清楚见到的真理，便是每个人照着他自己方法进行生活的冒险，并尽致其利的自由，乃是为自然所批准，并为理性所赞成的一个普遍理想，而其他理想的夺目的光辉，只不过是这个理想的散漫的光线，这自由如其不算一切较高的善的泉源，至少是它们的条件。**离开这自由义务没有意义，自我牺牲没有价值，权力没有根据**。它是民族协调一个可能基础，不类携手建立理想的社会的唯一的基础……。为教育的发动和指导，我们岂敢采取一比它低的理想，又岂能寻求一较它高的理想。”[1]

总结以上所说，现在教育科学上所有分析的，称为客观的具体的教育目标，没有能指出教育的整个的远大的理想，**从以往教育者所倡的远大的教育目的看，或侧重于适合社会**（民族的国家或阶级的国家）**的需求，或侧重于引导个人的发展。我们已说明后者从来没有也不能忽视社会的需求，而就是前者也必然地给个人在社会秩序中一个合理的地位**。不明了它们背后的全部思想，无从执一地给以表面的批判，其背后的全部思想，当然仍指整个人生（个人与社会）的理想，这不向哲学，又向那里去探寻的呢?

[1] Nuns：*Education, its Data and First Principle*，旧本，页九。

二　内容的问题

我们继续讨论教育学的基本问题，于目的问题之后便是内容问题。

教育是文化的传递，教育的内容便是文化的内容。但是人类的历史悠久了，不独文化的总量，愈积愈多，文化的变化，也愈演愈剧。究传递什么？这就引起一**选择**问题，而要使文化的素材，适于传递的过程，又引起一**组织**问题。所以**教育的内容，严密一点说，是文化的内容的经过选择和组织的。以学校教育来说，这种内容便称为课程**（包括科目和教材），即以社会教育来说，虽无此确定的课程，而**所谓社会教育，既无非是我们对社会里各种组织和活动所加的意识的控制，而生显明的教育的作用**。那么，**这控制也不外将文化的内容，加以选择和组织**。这教育内容上的有效的原则无论学校教育或社会教育，是一般适用的。依什么原则来选择和组织呢？这即是要回到教育的目的——社会的需求与个人的发展。这两说各自分歧，会发生不同的结果。但在实际教育工作里，两说却始终并行的。文化（技术知识、道德、信仰等）的材料，根据社会自觉的或不自觉的淘汰选存以后，必按受教者的发展的阶段（兴趣能力）组成有系统的教材，由浅而深，由简而繁，才能便于教学。这样问题不是很容易解决了吗？不因前述两说，在我们讨论目的问题时，已知是会互相对立的。尤其是在儿童教育里，社会的所需求，不必是在儿童发展的阶段上所能适应。儿童的所爱好，更不必是为社会的标准所能相符，实际上折衷的办法是有的，即我们从儿童的发展出发（这一点是新教育的大前提），再一步求达社会的标准；我们把文化传递的过程，不从施教者看，而先从受教者看。杜威说过的：

> 不能窥教育过程的全体，而徒见其各名词之冲突，于是有儿童本位与教材本位之争执，个性本位与社会经验本位之对峙，一切教育上主张之歧异，盖莫不含有此冲突。[1]

现在我们把教育过程的全体，看成从儿童个性的发

[1] Dewey：*The Child and Curriculum*，郑宗海译：《儿童与教材》，中华。

展，走向社会经验的获得，这冲突便没有了。这样问题不是又很易的解决了吗？也并不，还有更深的问题在。

原来在教育过程中，将受教者的发展，定为一个出发点，固然是新教育的一大前提，而旧教育也并不曾完全漠视这一出发点。我们古人不也说过“教不躐等”“因材施教”等语吗？不过现在儿童心理学对于儿童的兴趣能力上的发现，不是古人所能悬想的罢了。深刻一点也更近常识一点来考察我们要传递的文化内容是什么，无论如何，这解答的责任不能诿却于儿童或任何教者，所谓儿童本位进于社会本位，只是一程序，或方法问题，并未说明社会本位的文化是什么。（读者勿误会以为这是对杜威的批评，虽有人对杜威确曾这样批评，而著者认杜威思想的全体系中，对这问题自有他的解答。）如教育不是意识的自觉的过程，教育者尽可采取一时代一地域所流行的标准，而不提起这问题，如其要是意识的，自觉的，那么教育学对这问题的解决，至少无法可以佯为躲避。

这必然地把我们引到哲学（文化的哲学）上来。这里我们且不讲哲学，简单地提出关于文化的若干概念，以见教育内容的问题。寻常所谓教育科学的解答，只及于学校教育的方法或技术，实未触及文化的本身。

（一）个别和普遍　前节提及关于文化，有民族性、阶级性等说。所谓民族性的文化，系指各个民族各有其特殊的语言、技术、知识、道德、信仰等。文化是有民族的、地域的差异——这是所谓个别性、阶级性的文化，是更个别化的。但马克思等的理论，无产阶级是世界的、非国别的，全世界都受了无产阶级的统治，那么全世界的“意识形态”也就统一了——这又可说是普遍性。任举具体的例来说：凡自然科学，机械生产技术，谁也不认有何国别，这可说人类文化有它的普遍性。可是语言、文学、哲学、艺术、宗教、信仰等，却显然各个民族不同。尽有人创制世界语，可是没有那一国人民会放弃自己的国语，连以世界为单位的基督教，也经过国家化而取得个别的外形，这可说文化又有它的个别性。有人以 Civilization 为文明，Culture 为个别的文化，只不过文字上的区别，究竟二者怎样联系，是哲学上一问题。兹不说在实际生活里，应付急需的时候，二者也自然互相渗透，所以一般人也不愿来认识这一区别。但要意识地指导或控制文化传递的过程的教育者，便不能不意识地来理解这问题。像美国教育科学者的办法，奉了适应社会需要的名，用统计调查之法则，在中国这时举行社会调查，生活分析的结果，并不证明大多数人所用是机械生产技术，所习的是自然科学，而我们意识的教育却于这些最要急起直追。反之，社会习用的文字，唱惯的歌谣，做惯的戏剧，信久了的宗教，我们都想加以选择和改造。我们对于文化的个别性和普遍性的问题，不只是有理论的趣味，而尤其有实践的关系（一般人所谓“中国本位文化”，梁漱溟先生所谓“东方文化”、“乡村文化”都有实践上的影响的）。

（二）永恒和变动　这就联带到永恒对于变动的二个概念。关于道德、信仰人们特认是永恒的价值，不随时代而变易的。前知识中的真艺术中的美，也作为永恒的价值看的。然人类思想，早就有变动这一概念。近代哲学里“发展”的概念，是很占重要的地位的。达尔文（Darwin，1809-1882）的进化论出现以后，许多学者应用生物学的进化概念，以解释人类社会与历史文化的演变，永恒的概念遂根本动摇马克思以辩证的发展——

生产力生产关系的辩证的发展，解释历史文化，把所有“意识形态”看作为经济情形所决定，因此，随着经济组织的变动而变动。善和真和美，从此不复被许多人视为永恒的标准了。却是在实际生活里，人们尽多以古代人的所谓善、真、美，依然是善的，真的，美的。马克思自己论到希腊艺术，在现代久已没有了它的社会基础，也曾说：

> 然而难点不在于了解希腊艺术及咏古诗是与某些社会的发展形态相结合这个观念，而在于理解为什么它们对于我们依然构成艺术的享乐的源泉，并在某方面通用为准则及不能达到的模范。成人不能再变为儿童，即不能变成儿童气的。然他不是喜好儿童的纯朴，他不是必须在较低阶段中努力去再生产儿童的真纯吗？各时代的性质不是残留着，与儿童本性特质的完全相合吗？在人类已经达到最美满的发展之幼年期，为什么不能保持永久的魔力，成为一永不再来的阶段呢？有劣生的儿童及智慧早开

的儿童。多数古代民族都属于后一种。希腊人都是常态的儿童。他们的艺术所给予我们的魔力，不与发生艺术之社会秩序的原始的性质冲触。这种魔力宁是后者之结果。它宁起因于未成熟的社会条件（艺术发生于这些条件之下，而且只能出现在这些条件底下）永不能还原这事实。[1]

这样，马克思对艺术中一部分的永恒的价值，也没有予以忽视。不过他以历史的回忆，人类在想像中儿童期的真纯的再生产来解释这价值，而这也是心理的原因，不是经济的原因。

因为永恒和变动两概念的对立，生出我们对于文化的理解的分歧。这看是过于抽象的理论，而其实是影响到实践的。在我们现在课程教材的争论中，不就有国粹说，读经说，文化遗产说等等吗？这诸说，不以文化的民族性，便以文化的永恒性为辩护讨论这种问题，如仅

[1] Marx: *Criticize of Political Economy*，刘宗曼译:《政治经济学批判》，乐群，页三八八。

限于教学方法，或意见本位的理论，显然是得不到全部的解答的。

（三）文雅的实用　在教育学里寻常又以所谓“文化”与“实用”或“文化”与“职业”相对称，而这里所谓“文化”已不是我们这书里所用的文化的意义，我们所指的是社会积蓄的全部经验，凡技术、知识、理想、信仰等等都是文化，而这与“实用”对立的“文化”，乃指示不和生活十分有关的文雅的技能、知识、好尚等等。无论我们采取文化阶级性之说与否，在教育史上学校教育是从少数比较闲暇的人，而渐次普及于多数勤劳的人的。因这一历史的事实，学校课程，传统地是注重文雅的内容的。到了教育成为民众的公器的时候，旧时文雅的内容，便见得并不是大多数人所感的兴趣和需求。斯宾塞尔在八十年前著《教育论》中，论“知育”，便问什么知识是最有价值的知识，他列举五项标准，同时依先后的次序，表示它们的价值的高低。那五项是大家所知道的：（1）与自己生存有直接关系的；（2）与自己生存有间接关系的；（3）关于种族生存的；（4）关于维持社会和政治秩序的；（5）为休闲时间的享用和兴味的满足的。斯宾塞尔是十分重视实用的科目而贬视文雅的科目的。他在人生哲学上，是一个功利主义者（Utilitarianist），所以对于文化内容的评价是这样。如其另一个唯心主义者评价起来，结果会相反的。杜威也重视实用的科目，但观点并不完全与斯宾塞尔相同，他认文雅与实用的两概念，是应统一的，他以为它们的对立，只是社会阶级分划的反映。在他的理想的民主主义的社会里人人应该劳力，也人人应该劳心，人人应该于社会有实用，也人人应得社会中文雅的享乐，这是一层。他又以为整个文化的本质，是实用的，所以即使仅仅为文雅的内容的理解计，也非由实用上去理解不成。他以简单的生产过程作为小学课程的中心，就是为此，这又是一层。如杜威所说，这实用对文雅之争，也可算圆满地解决了。可是文化的本质是实用的一说，在哲学上又还有问题。原始文化的只限于取得生存资料的技术知识以及维持原始社会的道德信仰，这并没有引起争执，只是人类越达到高度的进化，它的文化中意识作用越加强，看不出和生存有直接关系的成分越重要。教学和纯粹自然科学里很多很多的发现，其始并无直接拿到工艺、农艺里来应用，然无这些发现，现代机械生产不会成功。就是文学、艺术一般被当作休闲的活动，而它们的支配意识的伟大的力量，谁也不能否认。所以“实用”一个名词界限殊难确定，许多哲学家说到人类生活并不注重它的物质的生存（因这是与任何动物在同一平面上的），却格外强调它的“精神的生命”。而另外许多哲学家，在他们的语汇里，根本上就没有“精神”一名词。因此，我们可知在文化问题中，还有一个**精神性**对物质性的争论。

教育的内容，即文化的内容。而文化的概念，有这种种的矛盾，那么教育的内容，以什么理论来决定呢？这是教育科学所不究，而是教育哲学所必须寻求的。

三　方法的问题

达到目的的程序，是方法。广泛地说，教育的内容，也是达到目的的程序的一部分，所以内容和方法，是互相联系的。内容指社会的文化，方法则特别是关于个人在文化传递中所获得的发展。

在本章的开始已说过文化传递的过程在人类生活里面进行，其始是非意识的，到文化较高的阶段这过程才变为意识的。就在非意识的教育里，也不是没有程序，例如技能必须由模仿而反复练习，知识必须由了解而记忆保持，道德信仰必须由示范而有情绪的爱护。但因是不自觉地进行的，人们不会有方法的自觉的批判。

（一）意识和非意识　现代学校教育上一个主要的思潮，是鉴于学校里意识的教学方法过于呆板机械，反无非意识的教学的有效，而且这种方法所得的结果（技术知识等）也往往和实际生活隔离，形成教育与生活的分裂，因此在儿童发展这一阶段上主张采取非意识的自然的过程，使儿童于丰富的生活情境中，虽不自觉其在学习而转到最多的学习。严格地说这与原始教育里的非意识的过程是绝对不同的，因为这只是儿童方面的比较的非意识，而在施教者方面，反是加强了意识了。这一思潮在方法上的贡献，虽也不能怀疑，但是它的极端却表现而为“生活即教育”，“社会即学校”两句话，甚至于连学校组织，也想彻底推翻（事实上当然只是以另一种学校组织替代原有的学校组织），这就和社会文化演进的事实大相反背。在人类文化演进到了这时候，学校早已是施行教育的一种不可少的组织了。文化愈前进，意识的作用愈加强，社会的各种组织的分工也愈加密。**学校教育的改造，本身上是意识的控制的加强**，只有受着认定的目的的指导，在课程和方法上，谋适当的变更，并不能够连学校教育的自身也予以否定。社会教育呢，它的最大理想的效能，当然在使“生活即教育”、“社会即学校”，而**真正要使生活即教育，社会即学校，也无非使一切社会的组织和活动都有意识的控制**。这并不在学校的取消，相反地在于：（1）使广大的人群先有普遍的学校教育的机会；（2）使已脱离学校教育的人们，继续在有意识控制的文化传递中能得到人格发展的机会。

以下所讨论的方法问题，指明是意识的过程，是以往学校教育里所用的方法。我们无意于将普通教学法里所列举的方法，一一重加检讨，只能从近代教育方法的史的发展上，认取若干概念，以显示它们的背后，还有教育科学所未能解答的哲学问题在。

（二）论理和心理　以往学校的课程，偏于文雅的科目，如前节所述。所以方法也并不注重技能的怎样训练，而只注重在知识的怎样理解和记忆，思维能力的怎样培养和增高。欧洲中古时代学校教材的编制都采取亚里士多德（Aristotle，384-322 B.C.）的逻辑的形式，方法当然也依然这逻辑的程序。近代培根（Bacon，1561-1626）始从实验科学上说明思维的形式是归纳的，并不是如亚里士多德所想全是演绎的。十九世纪教育方法上一大变动，便是归纳的逻辑的应用——裴斯泰洛齐在教材组织上，海尔巴脱在教学程序上都是采取这原则的。论理本来是思维的法则，施教者能依这法则进行，也就可说是依心理的法则进行了。所以裴斯泰洛齐又称他的方法为心理化的方法。可是心理学进步以后大家知道实际思维的过程并不依着无论演绎或归纳。论理的形式，论理学的法则只可用以说明思维的结果，而并不能指示思维的过程，尤其在儿童的发展阶段上，教师或科学者所有思维的结果，决不能代表儿童实际思维的过程。**因此决定教学方法的准据，不复是形式论理学，而是心理学了。须知心智的本体和作用，原是哲学上一个根本问题。**最早心理学也便是哲学的一个部分。自心理学者应用自然科学里的观察和实验的方法去研究心智问题，心理学才和哲学分家，而自成一独立的科学。科学的心理学，对于心智的作用已有很多正确的叙述，而对于它的本体却以不属于科学方法处理范围之内，并无一点说明。即因这本体问题不解决，作用问题的研究，也以无法避免的哲学上的分歧，而有十分分歧的结果。大家不说教育方法要根据心理学的原则吗？而所谓科学的心理学，至今还是争论激辩的中心，又怎样能给予教育方法以指导的原则呢？

（三）感觉和行动　在心理学未成科学以前，人们关于心智有种种的臆说，古代人大概认人的心智中含有天赋的“理性”（Reason）。前说逻辑的法则，许多哲学家也就认为是理性的法则。惟其有这理性，人类才有思维与知识的可能。实验的科学起来以后，才有人以为心智并不是内在的理性，而是外来的**经验所组成**，而**其所谓经验，是指感觉器官所摄的印象**。裴斯泰洛齐要使教育方法心理化；他所含糊地说的心理化，在他那时代，实在不过是归纳的教材，和所谓“直观”的教法。他因相信感觉是知识的来源，十分重视感觉的经验。海尔巴脱的各部方法论，也建在感觉经验之上，他并赋予心智以联合和组织的功能，其实还是感觉经验自己的这种功能。所谓“统觉”（Apperception），有名的“五段教学法”还有归纳的思维法则，与感觉经验的联合过程在教育上的应用而已。

佛罗培尔因所教的是学龄以下的幼儿，不能全用直观与归纳的方法，从幼儿的发展阶段上，看到自发的活动的重要。到了杜威，更利用实际的活动，为思维的起点和终点。他以为经验不是静止的被动的对于外界印象的摄取，而是积极的能动的对于外界事物的反应，以备满足自己的需求。**经验这概念到了杜威手中不指感觉，**而指行动了。他说教育是经验的改造，在课程上他注重实用的科目，在方法上他主张由行动中获得知识，由行而知，由做而学，设计教学法的名词，并非创自杜威，而它的理论却很受杜威教育哲学的影响。

（四）反射与领悟　在近年学习心理学上还有“制约反射”与“领悟”的争论。桑戴克（Thorndike，1878-　）先将学习作为刺激反应的联结的变化，变化的方法就是他的学习的定律，不须赘述。苏联生理学者巴夫洛夫

（Pavlov，1849-1936）依动物学习的实验，创制约反射说，以极谨严的科学的态度，申言对于人类学习，未必能够完全说明。但美国的行为派的心理学者，就以此为武器，而排斥哲学上关于心智的各种见解，把学习还原于反射的制约（或如旧说，还原于机械的习惯的养成）。德国心理学者苛勒（Kohler，1887- ）也依动物学习的实验，而创“领悟”（Insight）说，以为学习虽是反应的变化，不是各各刺激而起，各各反应的联结的改变，而是整个情境中，与目的有关系部分的领悟的反应的改变。依此说，不仅制约反射不能解释高级动物的学习，就是桑戴克的联结变化也不能解释这种争论，在心理学上是热烈的，在教育学上除理论的兴趣外，平情而论，尚未发生多大的影响。在教学里，我们所关切的，是儿童思维与知识的过程，不是简单的机械的、筋肉动作的、反应的方法。我们提出这争论，无非指明现在学习心理学上分歧的概念，背后依然是心智的哲学问题，而不是实验科学所能解答。行为派的急进者如华逊（Watson，1878- ）辈尽管讥讽哲学的无能，而不知自己虽然熟练了最致密的科学的技术，却不自觉地拥护着最粗砺的哲学上的机械主义。制约反射说和领悟说的对立，正是机械观和目的观的对立啊。然则就是学习方法的争辩，背后还是有哲学的问题在。[1]

[1] Bode: *Conflicting Psychologics of Learning*，孟宪承、张阶译:《教育心理辨歧》，正中，序。

第三章　哲学的诸体系

一　哲学的问题

前章论教育学的问题，指出教育目的论的背后是人生——个人与社会——的理想，教育的内容，即文化的内容，教育的方法虽根据心理学，而心理学上的重大争执，还在于心智的观念，这人生理想，文化心智诸问题乃真是哲学的问题。

我们在第一章里已说过：

> 人生有如何的意义，从什么源头来，到什么归宿去，怎样才算最善的生活，对于这种问题，不论自觉不自觉，每个人都有他的所信，而人生观又决定于他的宇宙观。要问人生的起

源和归宿，须得先明白它在宇宙中所占的地位，所发生的关系。举一简单的例来说，相信世界是神或最高的理性的实现的人，看得人生是有“目的性”的，虽人事靡常，而全体是一个秩然的条理，能够体现这条理，便发挥了人生的最善的意义。反之，相信人类只是自然界的一部分，而自然界虽有条理，这条理无非是“机械性”的因果的相联，只要找出这因果的相联，而有以满足自己或人群的欲望，便是人生最善的理想了。

哲人们的人生观，和他们的宇宙观，是不可分的整体。在历史上，哲学所探求的，第一倒是这世界的最后的“实在”或“实体”（Reality）是什么的问题。

（一）本体和宇宙的问题　什么是宇宙（当然包括人生）的最后的实体？答这问题的，哲学上谓之**“本体论”**（Ontology）。这最后的实体又怎样发展变化以构成这具有万物万事的宇宙？答这问题的哲学谓之“宇宙论”（Cosmology）。哲人们解答这类问题必依于——也限于——他们每时代所有的关于这些问题的知识。近代自然科学已积聚了关于这类的可靠的知识，以往哲学者仅凭真思玄想来答复这些问题者。现代哲学者，又获得科学知识的依据。所以这两部分前称为“形而上学”（Metaphysics）者，现在也称为“自然哲学”（Philosophy of Nature）。

说最后的实体是物质的，谓之“**唯物论**”（Materialism）。它的较少独断一派也称“自然论”（Naturalism）。反之，说它是观念的，谓之“**观念论**”（Idealism）。这名词有误译为“理想主义”的，实则唯物论岂无它的理想？原来 idea（观念、理念）一语，源于柏拉图，加上“L”一个字母不过取语言较谐，改为 ideaism 便妥当得多了，观念论的较独断的一派，也称“**唯心论**”（Spiritualism）。这宇宙怎样由最后的实体依什么法则而发展变化以形成物质生命、心智、社会文化的呢？说是由于物质内的机械的法则的，谓之“**机械观**”（Mechanism），说是由于宇宙最后的心智的目的的实现的，谓之“**目的观**”（Teleology）。

唯物论和观念论，均称“**一元论**”（Monism），也是哲学上所谓“绝对主义”或“独断主义”（Absolutism or Dogmatism）。见于物与心的不能互相还原，机械与目的的必须各有解释，哲学者又另外采取一种“存疑主义”（Skepticism）的态度，认心与物并为实体的，谓之“**二元论**”（Dualism）。一元论对于心物并不给以正与反的比例的实在性，所以常是偏于观念论的。至于根本上放弃最后的实体的探求，愿意听取自然科学对于问题的解答，而将哲学的领域限于人生——个人与社会——的实际问题的论究的，则为“**多元论**”（Pluralism）。对于宇宙的发展演变问题，二元论和多元论者，多数是采取目的观念。

（二）知识的问题　哲人们在前述问题的论争中引起了人类智慧能不能或怎样获得正确的知识的疑问。前举独断主义和存疑主义也已是对于本体问题的知识的两种态度，哲学上称知识问题的理论，为“**知识论**”（Gnosiology），或译“**认识论**”或“**知识哲学**”（Philosophy of Knowledge）。

知识论上除对知识可能问题，有前说两种态度以外，主要的有两个问题：（1）知识如何起源？答这问题有“**经验论**”（Empiricism）与“**理性论**”（Rationalism）两派。而折衷地以为经验的素材，必配入理性的格式或范畴，才能成为知识者，则为“**批判论**”（Criticism）。（2）知识是否可靠，这问题大概成为以下的形式：我们的观念对于客观的实体有怎样的关系？以实体完全客观地存在独立自足，不依于认知的主体者为“**实在论**”（Realism）。以实体的存在仅依于认知的主体，而不能独立者为“**观念论**”（Idealism）。另外以知识的可靠性，完全须以效用或结果来证明者，则谓“**唯用论**”（Pragmatism）。

（三）道德的问题　人生的较高的价值（Values）或理想，除求“真”（Truth）以外，有求“善”（Goodness），求“美”（Beauty），求“用”（Utility）等等。这真、善、美等的标准在那里？怎样判断？答复这类问题的哲学称为“**价值论**”（Philosophy of Values）。在一般哲学里，尤其注重的善的问题的思考，则称为“道德哲学”（Ethics）。

道德哲学上讨论什么是“至善”或道德行为的标准的问题时，就有两种不同的答案：一是**快乐论**

（Hedonism），近代哲学者很少单纯地采取此说，却以“最多数人的快乐”为标准，这称为“**功利论**”（Utilitarianism）；一是“**完成论**”（Perfectionism），以为至善在于个人人格的完成或“自我表现”（Self-Realization）。至于讨论到什么是道德行为的动机的问题，也有两种不同的答案：一是“**决定论**”（Determinism），以为人的行为“决定于机械的自然定律，那是说，物质内含的定律”；一是“**自由论**”（Indeterminism），以为人的行为“决定于自由的意志，那是说，精神含有自由的选择”。

以上一系列的名词仅指出哲学的体系所由构成不同的观点，将本体、宇宙、知识、道德，各问题的答案根本批判过，综合过，便得整个思想，先后一贯，各部融合，没有什么抵触或驳难的地方，这就成了一个哲学的体系（A System of Philosophy）。如其不是这样，而只是对于一类问题，如本体或知识或道德，作一部分的综合使能一贯融合，那就称为本体论或知识论或道德哲学的体系（A System of Metaphysic or Epistemology or of Ethics）。

与教育有特殊关系的社会文化与个人心智问题，在一整个哲学的体系里面，必定有一贯的解答，如果要把文化或心智问题另外提出来，而给以详细的解答，那就成为“文化哲学”（Philosophy of Culture）与“心智哲学”（Philosophy of Mind）。

每一体系的内容，当然先后一贯，全体融合没有抵触没有漏义了，而各体系并列起来，却仍见得各各对立，彼此矛盾。在初学的人，所以要了解诸体系，而不自囿于一学说，固然为的是培养自己思维的独立和自由，容许自己决定其所确信而还有一更深的理由，我们可以引张东荪所说：

> 科学的研究，在于细微点精确，所以科学的真理，比较上单纯些。换言之，即异说少些。哲学反之，在于求会通，求整全，求彻底，则自可容许各种不同的观点，所以哲学上总是异说纷纭，不能定于一尊。我个人对于这一点是采取“形式”（Type）之说以解说之，以每一个学说而论，代表一个形式的都可以永久不

磨；因此亦可以说就是真理，特此处所谓真理，却与普通所谓真理不甚相同。因为每个相反的真理可以并存，例如多元论与一元论各代表一个形式，所以都不失为真理。唯心论与唯物论亦然。不明此理者往往执一偏见，以为唯物论是真理了以后，唯心论决不能同为真理，其实乃堕于偏见了。所以哲学上必须有“忍容”，而特别名之曰“哲学的忍容”。哲学的忍容与普通的忍容颇有不同，普通忍容不过态度谦逊表示虚心而已，乃止关于态度，哲学忍容不仅是关于态度，必须在学理的内容，承认异说的可能性。说到这里，我们可以把真理一词不用在单独的一个形式上，则我们可以说，若把所有形式总合起来，便可愈逼近于真理了。[1]

以下我们依次说明唯物论、观念论和唯用论三个体系的大旨。

[1] 张东荪:《哲学究竟是什么?》，载《东方杂志》三十四卷一号。

二　唯物论

在哲学史上唯物论和观念论各有悠远的纪录，而且更迭代兴，有如黑格尔（Hegel）所谓辩证的发展。希腊创原子论的特谟克黑德斯（Democritus，460-370 B.C.），罗马的诗人鲁克里塞斯（Lucoretius，95-54B.C.），古代著名的唯物论者，撇开欧洲中古时代的神学不说，近世哲学，算以十七世纪的培根（Bacon，1561-1626），笛卡尔（Descartes，1596-1650），霍布士（Hobbes，1588-1679）开始。其中笛卡尔是二元论者，培根在知识论上是经验论者，但对于本体问题，他在神学的权威下，只守着怀疑的态度，霍布士则显然是唯物论者了。

十八世纪法国唯物论者，有著《人类机械论》（*L'homme Machine*）的拉美特利（Lamattric，1709-1751）以及力倡发展说的狄德洛（Diderat，1713-1784）。“十八世纪的唯物论，显然是机械论的东西，因为在当时，一切自然科学中，只有力学，尤其是固体（地上及天体界的）力学，也就是重学，才达到了某种程度的完成的领域；化学还没有脱离少年期，还应用着燃素说；生物学还在襁褓里；动植物有机体还只有很少的研究。它的作用，都由纯机械的原因来说明，就像笛卡尔把动物看作机械一样，十八世纪的唯物论者，把人类当作了机械。”[1]

但是狄德洛却已经天才地见到有机体的变化和发展，以为有机体是在外界及有机体的内的紧张（欲望和冲动）的直接影响之下，不绝地变化的，他已经把人类看作长时间的发展的产物了。

十九世纪的唯物论，在英国当然以自然进化论者达尔文（Darwin，1809-1882），斯宾塞尔（Spencer，1820-1903）为重镇。在德国除却许多机械唯物论者如伏赫脱（Vogt，1817-1895），摩勒沙脱（Moleschatt，1822-1893），布希讷（F.K.L.Büchner，1824-1895），赫克尔（Haeckel，1834-1919）等以外，另有从观念论——黑格尔的伟大的观念论的体系转变到唯物论的，便是费尔巴哈（Feuerbach，1804-1872），马克思（Marx，1818-1883）和恩格斯（Engels，1870-1895）。[2]而恩格斯明说：

[1] 恩格斯：《费尔巴哈论》（*Ludwig Feuerbach*）。

[2] 米定等著、艾思奇等译：《新哲学大纲》，页一一九。“马克思、恩格斯的最初的阶段无疑地是观念论者，对于他们以后的发展给予极大影响的是费尔巴哈。”

“几乎只有马克思和我，是把辩证法从德国观念论的哲学里拯救出来，而应用之于自然与历史的唯物的解释的。”为异于其他的唯物论者，他又说：

> 德国以前观念论的全部不正确性的感觉，必然引到唯物论来，但却不是十八世纪的简单的，形而上的完全机械的唯物论了，不独不武断地否认一切以前的历史，现代唯物论，把历史看作人类进化的过程，把自己哲学的问题看作这过程的运动的法则的发现……，现代唯物论根本上是辩证的。[1]

这辩证唯物论，应用于人类社会的一部分，又称为历史唯物论。

（一）物质的概念　唯物论者以为最后的实体是物质，物质有自己运动的属性，在无限的空间中不绝地运动着。原子——物质的最小的单位——以无限的种种方式的组织变化构成了这宇宙，心智不过是物质的一个

[1] 恩格斯：《反杜林论》（*Auti-Duhring*）。

形态，或者一种作用而已，现代物理学上，物质一概念已有剧烈的变动。路基福（Rutherford）研究一种放射性的原素（镭），知道每一原子能分，而以一秒钟十万哩的速率放射出电子来。海森堡（Hersenbury）等，又认电子非实体，而只是力的放射，这力的放射的单位，他们称为量子，这样原子成了一种力的组织或蓄电器，里面有阳性的电的放射，正如太阳系一样，每个原子里，有中心，有其四围的电子。电子与电子间的距离，按照原子的大小来比喻，也如天空中行星的距离一样，罗素（Russell）说：“我们本来把原子想像成一颗弹子，现在得把它想像成一个幽灵了。至于物质与运动，必须占有空间，经过时间，空与时的观念，以前唯物论也没有给予他们解释，而闵柯斯基（Minkwsky），爱恩斯坦（Einstein）更以为宇宙的最后的实体，只有一个‘空—时连续体’（Space-Time Continuance）。”所谓物质仅是这连续体里的纽结罢了。现代的“无物的物理学”正与“无心的心理学”一样，是人类思想上的奇迹，所以机械的唯物论，对于本体问题，不比观念论解答得更圆满。

原子的各种组织变化，最后产生了生命和心智出来，生命和心智，没有什么神秘，当然同样以机械的法则可以解释，但有一点，有了心就有了“目的”（Purpose）的出现，无生物虽没有目的，却也有一定的“秩序”（Order）。自然界的秩序，我们不能诿之于神的立法，却也不能就说是原子运动的偶然的结果。

（二）宇宙的进化　机械唯物论，到了自然进化论者的手里有了较精练的说明。达尔文严守自然科学的范围，只研究“生物的进化”（Organic Evolution）。他说明物种的进化，所用的不外乎偶然变异、遗传、生存竞争、自然选择几个概念。所谓自然界的秩序也不过是一种适应，而适应也不过是偶然变异与自然选择的结果而已（无生物的适应，在他用不着解释）。到斯宾塞尔更以机械的法则，来说明“宇宙的进化”（Cosmic Evolution），他以为进化就是物质的凝聚，与动力的消散。例如星雾进化而为星辰，原形质进化而为各种有机体，在物质动力聚散之中，由浑而到分，由细而到著，由粗而到精，由隐而到显。

这种自然进化论，很有许多困难，单说物质的聚散，无以解于“创新”；单说微细的偶然的变异，无以解于

“飞跃”。而没有创新与飞跃，则宇宙的进化便无从想像。至于进化的“动因”也并没有解释。说是为了生存竞争，那么无生物怎样呢？就以生物说，为什么有生存竞争呢？

因此有柏格森（Bergson）和穆耿（Morgan）一流的突创的进化论，柏格森自名其理论为“创造进化论”（Creative Evolution）。他以万物都有一“生之冲动”（Élan Vital），这是创造进化的本。原在这冲动之中，向上者为意识，向下者为物质。物质是趋于消散的，意识靠着记忆作用凝聚着进去，而不绝地有创新，意识是创造的。穆耿自名其理论为“突创进化论”（Emergent Evolution），张东荪译“层造进化论”，他以为进化可分为若干阶层，例如物质、生命、心智等等，上面的阶层虽以下面的阶层为底子，但因“结构”（Structure）或“组织”（Organization）的变化，就是一个飞跃而有新创出来，氢氧的组织成水，是物质阶层之浅例。由原子组织成分子，分子组织成细胞，细胞组织成有机体。每一组织的变化，是一个飞跃，一层进化。这组织变化的动因呢？说下去，穆耿陷于神秘的唯心论了，柏格森，穆耿都不是唯物论者。

同时，一派唯物论者，则采取黑格尔的观念论的辩证法，来解释宇宙的发展。辩证法的前提，是永久的动。所谓辩证法，照恩格斯说便是："自然人类社会及思维的运动和发展的一般法则的科学。"[1]这种法则，主要的是：（1）对立的统一；（2）量与质的互变；（3）否定的否定。辩证原表示对立，矛盾的意思，物质的自己运动，是一个矛盾，是自己转化为对立的形态。至于空间与时间，不过是运动中的物质的存在形态，决不能被认为离物质而独立存在的。物与空，空与时，都是统一的在运动之中。量的变，必然地引起质的变化；这充分说明了创新与飞跃（量的变化怎样发生质的变化，恩格斯举化学公式为例，固然很明了，但我以为尚不如穆耿"组织"的变化说的透彻）。否定的否定似乎就是对立的统一的注解，而它的要点，要着重先行发展阶段的否定，是一方面废弃了那一阶段，同时又把那阶段里所实现的积极的东西保存起来，这够说明了发展的连续性。就这样很粗浅地看，辩证法当然比机械的自然进化论进步得

[1] 恩格斯：《反杜林论》。

多了。在黑格尔，这些本是他的逻辑的理论，是思维的法则，因为它是观念论者，所以他以为思维的法则，即自然界的法则。而马克思、恩格斯则以为他将全部过程，以头顶地颠倒了。我们应该说，这些是自然界的法则，所以即是思维的法则，在形而上学的论争上，怎样说都可以的，只要整个体系是配合的贯彻的。但**须知辩证唯物论或历史唯物论的兴趣，本不在于形而上学的问题，而在于人类社会和思维的辩证的发展**，因以取得社会阶级斗争的实践的理论的根据。马克思自己说过的："哲学者们只用各种方法来解释这世界，而问题却在于改变这世界啊。"

（三）心智　机械唯物论者对于心智的说明，现在看来是朴素得可笑的，如伏赫脱（Vogt）说大脑的分泌思想，犹胆的分泌液，肾的分泌便溺一样，费尔巴哈（Feuerbach）说，人的为人是看他吃的什么（Der Mensch ist was er isst），他以为食物变成血，血变成心脏和脑，而变成思想。物质对于思维无论有怎样决定的影响，这种说明总是过于简单化的。辩证唯物论者，对于心智是注重它的历史的发展，但既是唯物论，则以心智为神经系统的运动的形态，这基本主张是一样。

根本上现代心理学，既以客观的自然科学的方法处理心智问题，当然不复冥索心的本体，而只说明心理的现象、作用。至生理、心理学起来，则心智是身体的作用的一个命题更确立了。最近心理学者和生理学者最有关系于唯物论哲学的（说是机械唯物论哲学的吧）有两个人，一是桑戴克（Thorndike，1878- ），一是巴夫洛夫（Pavlov，1849-1936）。桑戴克把一切心智作用，化成刺激与反应的联结（S-R bond，也译感应结），接受感觉的神经原，与发生动作的神经原的接触关键，可经无限的变化。而这联结的坚牢或薄弱，不外依有机体求乐避苦（满足或烦恼的原则）的需要，靠反复练习次数（用与失用的原则）的多少来决定。他绝不假定有什么理解或目的的先见，即使是最复杂的思维，也同样和动物的尝试和错误的动作，是偶然的碰巧的适当反应。经过反复练习而成为习惯的巴夫洛夫的“制约反射”（Conditional Reflexes，也译作交替反射）说也解释狗许多复杂的，类于心智的行为无非是原始反射的制约，不可假定狗有什么理解的。巴夫洛夫谨守着科学者的慎密的态度，并不愿意以狗的试验的结果，来应用于人类的智慧，他说：

> 将较高级动物的心脏，消化器官等的作用的试验结果，应用于人类。虽则这些器官在结构上是和人类的相似的，我们必须予以极大的保留，而这种比较的可靠性是必须步步检证的。尤其是将狗的神经活动的新获的知识来应用于人类，我们更加需要极大的谨慎，因为人类的大脑皮肤的无比的发展，是使他在动物界内，占有超越的地位的。如果认为这些说明皮肤的生理的初步，已经可以解答人类更高的心智活动，那是最高的武断了。事实上，我们研究的现阶段的结果，是不容许其琐细的应用于人类的。[1]

像华逊（J.B.Watson）的那样的行为论的心理学虽然完全采取制约反射说，而其全般的无限的应用，巴夫

［1］ Pavlov：*Conditional Reflexes, Oxford University Press*, p.395.

洛夫倒并不负其责任。

（四）知识　在知识问题上，唯物论认知识的起源是感觉经验，而反对理性论，认外物的客观的存在，并不依于它的被知，而反对观念论这都是逻辑地必然的。现代哲学上，有许多经验论者和实在论者，都折衷地以为感觉经验虽是知识的起源，却不就是知识，要成为知识，还须经一种过程——整理或批判的过程。但唯物论者是朴素的经验论者和实在论者，对于“经验批判论”或“批判实在论”（Empiric Criticism or Critical Realism）是一律予以痛击的［例如列宁的《唯物论与经验批判论》（Lenin：*Materialism and Empiric Criticism*）］。

机械唯物论不必说，辩证唯物论对于知识坚决认为是“实现的实体在人的意识上的反映”，其与朴素的实在论者如洛克的分别，则在于承认。

> 认识虽是反映，却不是实在世界的变动的反映，认识是对于实在世界采取能动的态度所必需的手段，就是最单纯的动物，对外界刺激的反应所得到的结果，也正是在于使有机体避

免有害的作用而接近有利的方面。至于比较更有组织的动物能更把无条件的反射组织作为基础而创造出条件反射的组织（注意巴夫洛夫的名词），而这组织就成为有机体对于环境的能动的关系上的非常复杂的机构了。人类认识的最初状态，是客观实体在感觉器官里的反映，是对于这反射的直接意识，一切真正的知识，都把人类感觉中的物质的反映作为不断的源泉。[1]

这一段话里所看不大清楚的，是感觉以外，另有对于感觉所反映的意识，这使我们很易联想到“批判实在论”。而其注重有机体的能动的态度，更使我们联想到“唯用论”呢。

（五）道德　对于什么是至善的问题，唯物论者是显然采取功利论的——至善是最大多数人最大幸福，幸福当然包括物质的与文化的；对于道德行为怎样起源的问题，唯物论者反对观念论的意志自由说，他否认有

[1] 米定等著、艾思奇等译:《新哲学大纲》，页三四四。

自由，如其有那也不过是必然性的认识罢了。所谓被决定于物质的定律，如自然进化论者斯宾塞尔则以为这定律便是生存竞争、与日选择；心理学上行为论者，如华逊则或者以为这决定的因素便是个人会各般的制约反射（通俗些说便是环境与教育）；辩证唯物论的说法，则见于以下“文化”的讨论中。

（六）文化　辩证的或历史的唯物论，有它的特殊的文化哲学。凡人类思维的成果，如道德、宗教、艺术、哲学、科学等都称为社会意识的形态。文化是什么？即是社会意识了。波格达诺夫（Bogdanov）明说：

> 问：指称社会意识除了 Idealogy 一语之外，还有什么普通使用的名词没有？答：还有“文化”一个名词，更正确地说，还有“精神文化”一个名词，极其常用。[1]

唯物论的基本命题是存在决定意识，而非意识决定存在，社会意识，是被社会生活所决定的。社会生活的

[1] 波格达诺夫著、陈望道等译：《社会意识大纲》，页三。

基础，是经济的生产力（劳动力，劳动工具，劳动对象三者所成）和生产力自身发展的状态所决定的。生产关系是社会的经济的基础，这决定了政治与法律的结构，又从而决定了意识的形态。马克思最常被引用的几句话是：

> 这生产关系的总和，就形成社会的经济结构，这是真实的基础，在这基础上产生了法律的政治的上层建筑，而一定的社会意识的形态则和它们相适应。物质生活的生产方式，决定社会生活政治生活以及一般精神的过程。不是人的意识决定他的存在，相反的，是社会存在，决定他的意识。[1]

因为人在生产关系中，必然地属于一定的社会阶级，凡法律、政治和文化，是绝对地有阶级性的。阶级与阶级的斗争和替代之中，文化是随着支配的阶级的变化而变化的。历史唯物论对于人类文化史的全部观点就

［1］马克思:《政治经济学批判》，序言。

是这一个，因此对于支配阶级的一切道德、宗教、艺术、哲学等，有毫不容情的打击。例如马克思说："宗教是被压迫者的呻吟声，是没有灵魂的世界的'灵魂'，是无智慧的时代的智慧，它是人民的雅片。"未来的文化，却又不是完全新的东西，而是从旧的文化胎里孕育出来的。以前说过了否定的否定，不只是对于旧的废弃，而同时也有所保存的，历史唯物论的这种说法，就是它的创始者也不是没有一点保留的。恩格斯于一八九〇年这样写道：

> 较年青的人，有时过分着重了经济的方面；这马克思和我是一部分负责的。在应付我们的论敌时，我们不得不注重他们所否认的决定的原则，而我们常没有时间或机会给予许多相互影响的其他的因素以应有的地位。

他又说：

> 照唯物史观，历史上最后决定的因素是现

实生活的生产和再生产，超过这一点，马克思和我从来没有断言过，如其有人歪曲这一点，而说经济的因素是唯一的因素，那就变成一句无意的抽象的荒谬的话了。经济是基础的，上层建筑的诸原素——阶级争斗的政治形态及法律形态，又是这种争斗在人们脑里的反映。即政治，法律，哲学的理论，宗教的观念——这一切，对于历史的争斗的发展，都有影响的；而在许多特例，并决定这争斗的方式。[1]

唯物论者的哲学，并不以仅仅解释这世界为任务，而问题在于改变这世界。这改变，当然不是缩手旁观那生产力与生产关系的矛盾的徐徐展开，而要以实际的争斗来促其成功的，要对“实在世界采取能动的态度”，意识便不只是受动的反映。唯物论者无论在理论上或生活实践上，似乎从没有否认社会意识虽被决定于社会生活，却又有它的能动的力量的。

[1] 恩格斯：《费尔巴哈论》，Austn Lewis 译本，序言引。

三　观念论

观念论（Idealism）这名词起源于希腊柏拉图（Plato，407-347B.C.）哲学中idea（或译理念，理型）一语，他以为最后的实在是所谓理念，我们感觉所及的物质，倒反是这理念的反映而已。欧洲中古时代的经院哲学，当然是偏于观念论的。近世哲学的开始笛卡尔虽是二元论者，也是侧向于观念论的，斯宾诺莎（Spinoza，1632-1677）的泛神论，自然是显明的观念论了。

十八世纪杰出的观念论者，是德国的莱布尼兹（Leibniz，1641-1716）和英国的卜克莱（Berkeleg，？-1752）。尤其是后者，在近代知识论上，是有极重大的影响的。而德国哲学上一伟大人物康德（Kant，1724-1804）在知识论上虽创折衷的批判论派而是二元的，在道德哲学倒是纯正的观念论者。

十九世纪典型的观念论者又是在德国，他们是菲希德（Fithte，1762-1814），谢林（Schelling，1775-1854），黑格尔（Hegel，1770-1831），他们的特别是黑格尔所完成的观念论的辩证法，是现代唯物论者所采取的。黑格尔是哲学上一座巨星，而对于现在意大利教育哲学者香梯尔（Gentile）又有这样密切的关系，使得我们不能不略为了解他的思想的体系。终这世纪乃至直到现在，不但在德国乃至于全世界，观念论的哲学要超越康德和黑格尔的限制证明是不容易的，除非如恩格斯所用以否定它的辩证唯物论。

（一）本体　记得在以前讨论“物质的概念”的时候，我们曾说：原子的各种组织变化最后产生了生命和心智出来。生命和心智没有什么神秘，当然同样以机械的法则可以解释，但有一点，有了心就有了“目的”（Purpose）的出现。无生物虽没有目的；却也有一定的“秩序”（Order）。自然界的秩序我们不能诿之于人的立法，却也不能就说是原子运动的偶然的结果。

自然科学逐渐把自然界的秩序，以定律或公式表述出来，可是到底只说明了现象，而没有指出本体。而且这些定律公式也到底是人类心智的构造，——即使如唯物论者说，物质在意识里的反映，也到底是意识的能动的反映。说是在运动中的物质，依着一定的法则变化，发展这“物质”一概念，其实已和“观念”或“心智”

的概念差不多神秘，非复常人所设想的固定的死的物质了。

宇宙的最后的实在是一个为 X，一个为 Y。解释目的与秩序的问题，观念论者宁愿假定它是“心”，是“精神”，是“理性”，是“观念”，至少是和人类的观念相同的东西，而不是和无生命的物质相同的东西。这最后的实在，是运动的、发展的，而要包孕万象，涵盖人群，又必要假定它是超越我们各个人的心，超越我们各个人的精神或理性的精神或理性。这就几乎达到了“神”的一个概念。现代观念论者，并不采取基督教里那样人格化的创造世界的神的概念——然有些人还是采取的，或是受基督教的暗示的，或是有意给基督教辩解的——而总以为这宇宙包括自然、生命、心智——是一个最后的实在——精神或理性的发展或表现。

怎样说自然生命和人的心智都是一个最后的精神的发展或表现呢？观念论者中间，也各有各的理论，为简单计，便举黑格尔的理论为代表。

（二）发展　黑格尔既然认宇宙最后的实在是精神，则宇宙的发展的法则，就可从反省我们自己思维的发展的法则，这逻辑而探寻出来。思维的逻辑是怎样的呢？他以为一个概念或命题，必然地孕育着而转化为它的相反的概念或命题，这矛盾，又为第三个综合的概念或命题所统一，而每一较高的综合，自身又内含着矛盾，而又仍然为另一综合所替代。这样的运动称为辩证的过程。这种正、反、合的过程，是永恒地进行着的。矛盾是推进一切的，没有矛盾，就没有发展。思维的逻辑，便是这矛盾的统一的法则。

因为宇宙的最后实在即精神，此思维的逻辑，即宇宙的逻辑。这宇宙的根源是一个精神（Spirit）或理性（Reason），也称为“绝对”（Absolute，指自身完备俱足，不受自身以外的限制的意思）。说理性创造了这宇宙，是勉强可以说的；但理性并不在宇宙以外，而就在宇宙之中，它是一个不绝的运动和发展。正确地说，宇宙是这理性的具体的实现。理性之自身由辩证的过程，必然地转化为与之相反的自然，在自然的发展中，达到了人类，又于人类精神中意识着了理性。到这阶级，理性可以说达到了自我意识或自我实现了。所以宇宙的辩证的发展是这样，理性转化为相反的自然，而于人类精神中复归于理性的自我意识以达到最高的综合。在这一大“正反合”之中，“正”中又有一“正反合”，“反”中亦然。在一小“正反合”之中，又有各段更小的“正反合”，如是小下去，包含下去，是无穷的。这不只是在连接上的无穷，而是包含上的无穷，不只是各个“正反合”段衔接，而是大“正反合”中套有小“正反合”，例如自然发展的三阶段是：（1）机械的；（2）物理的；（3）有机的；每一阶段又包含三个阶段。精神发展的三阶段是：（1）主观的；（2）客观的；（3）绝对的；每一阶段，又是包含三个阶段的。在这发展的过程中，一个阶段到另一个阶段，都是合理的、必然的。把每一阶段隔离了，孤立了来看，当然只看到矛盾；可是从其发展的全过程来看，便看到它的合理性了。宇宙就是理性的具体化，那里会不合理？所以黑格尔说：“一切实在的是合理的，一切合理的是实在的。”

恩格斯批评黑格尔道：

> 黑格尔是一个观念论者，那是说，他不以自己心理的思维为实在事物和过程的印象，而

> 反以实在的事物和过程为先于世界而存在的理性的实现。这样的想法，把什么都颠倒了，把世界上事物的实在关系完全反转了。[1]

黑格尔的“精神哲学”——说明精神的发展的理论——大部分是我们寻常认为社会历史与文化哲学。为了解他的全体系起见，就从这里接着说下去吧。[2]

精神发展的三阶段是：一、主观的；二、客观的；三、绝对的。

（一）主观的精神　理性之表现于人的最先为各个人的主观的精神；这依辩证的过程，又有三阶段：（1）最初只有身体里的“心灵”；（2）它从身体辨认出来而为“意识”；（3）意识从外物的认识，而发现客观的实在，和自己表现的理性，这才是“心智”。

（二）客观的精神　理性的表现于社会制度与历史的为客观的精神。它的三个阶段是：（1）正义（指法律）；（2）道德（指个人德性）；（3）群制（指家庭、公民、社会、

[1] 恩格斯：《反杜林论》。

[2] 以下参阅 Stirner：*Philosophy of Hegel*, Part 4。

国家）。其中每一阶段，也是依着辩证的过程而变化发展的。客观的理性，只有在自由的人类社会里才能够表现。在自然界只有必然，没有自由的。在人类社会里，个人能够认识着必然，而屈服自己主观的意识于社会客观的意识之下，愿意遵守法律，践行道德，服从国家，愿意以国家的意志为自己的意志，这是认识了必然所得到的自由。完全的国家，是实现完全的自由的。客观的精神的发展，到了完全的国家——德意志——而达于顶点。历史记载的各个制度的成毁，各个民族国家的兴亡，都是依着理性的辩证的发展的法则的，伟大的民族和伟大的人物，是理性所借以实现自己的工具，各有它的历史的使命。这使命是只有在历史发展的全过程上才能够被理解。完成了它的使命的民族，自会离开历史的舞台，而让给地位于别的负有更进步的使命的民族。一个民族的被征服于别个民族，这样说，正证明前者所表现的理性，已经转化于后者所表现的理性了。权力，在这里就是正义战争。被认为弱者给强者所替代时，也就是理性，“一切实在的是合理的”！

（三）绝对的精神　在以上精神发展的各阶段里，

理性还没有能够自己认识自己，还没有能够达到自我意识与自由的最高度。没有一个阶段里，思维与存在、主观与客观是统一了的。理性要发展到绝对的精神，才能够理解它自己。因为它认识自己的一切必然的法则了，所以是绝对地自由了。绝对的精神的发展，也经三阶段，艺术、宗教与哲学。在艺术里，绝对的精神以直觉的形式自己表现。在哲学里，它以概念（或纯粹逻辑的思维）的形式自己表现。无论艺术、宗教、哲学，又各依辩证的过程，经过各自发展的阶段。到了绝对的精神完全实现一阶段，一切矛盾都统一了；只有美，只有善，只有真。

黑格尔所著书几乎网罗一切知识融贯一切思维，他的严整的三段法则，以必然的秩序在宇宙里进行，想来真有些可怕。而他以为哲学是绝对的精神在自己意识自己，然则哲学者的说话，如其有“神”，几乎是“神”在自己说话了。

在这样包罗万有的哲学体系里，所有心智、知识、道德、文化各问题，也已一一解决。为了它们在教育哲学上的重要，也为了要旁涉其他观念论哲学者的学说，我们还是再分别地提一提。

（一）心智　个人的心智照黑格尔说，是理性的在主观的精神一个阶段的表现。当然是精神的，而非物质的作用。一般观念论者，也无不以心智为人的本然的，在发展中的最高的本质。心智的发展的法则，则从内省而可知，并不如现代心理学者的以外观或实验来决定的。实验心理学，如前述桑戴克的结论，是与观念论的哲学不相容的，只有苛勒（Kohler）、考夫卡（Kofkad）一派的完成心理学，注重所谓“领悟”（Insight）的能够为观念论的心智哲学所利用。而观念论者们自己的心智哲学为要别于心理科学也常不用心理学一个名词，而自创术语，如迪尔戴（Dilthey，1833-1912）所谓“精神哲学”（Geistes wissenschaft），傅塞尔（Husserl，1859-　）所谓“现象学”（Phenomenology）之类。前者注重主观的省悟（Verstehen）或自心的体验（Erlebnis），后者注重本质的直觉（Wessensoham）。从实验心理学者看来，也都是神秘了。

（二）知识　在知识论上，观念论主张外物的存在，依于内心的认知，而不能独立，因此与实在论相对立。

又主张知识的来源，靠理性的发展，而不仅是感觉的经验，因此与经验论相对立。

十八世纪知识哲学是以英国洛克（Locke，1632-1704）的经验开始的，但到了卜克莱（Berkeley）便从经验论一转而为所论主观的观念论（Subjective Idealism）。他的名言是："存在即被知"[Esse est Percipi（to be is to be perceived）]。凡不被我们知觉的，我们不能认为存在。外物是存在的，但并不是离开心智而独立存在。更进一步说，我们所知的外物，也只是我们主观的知觉或观念而已。至于心，乃是最后的实在。为什么？如果认知一切事物的主体的心尚不存在，我们怎样能说到外物的被知呢？

外物的存在，只成了我们主观的一簇的知觉，这把科学知识的可靠性，根本动摇了。康德乃以他的批判论来救济他以为外物只是引起我们的感觉，而感觉材料必嵌入一定的格式，才能被知。第一，**感性**有两种先验的格式，空间与时间。第二，**悟性**有四类十二项的先验的格式，依亚里士多德也称范畴（即概念），量（一、多、全），质（正、反、限制），关系（本质、因果、相互），样态（可能、现实、必然）。外物投入感官以后，就如一块生铁投入炉中，而经过两次的煅冶：第一次受感性的先验的格式所支配而成为感觉的对象；第二次受悟性的先验的格式所综合配列而成为思想的对象。经这煅冶我们知识的对象实在只是现象，而非物之自体。物之自体，却仍不可知。然而自然科学关于现象的知识在这限度内，也就有其可靠性了。至于形而上学尚不至此。比范畴更进的先验的格式是**理性**，理性对于现象，作最后的消化融合。在感性中，格式与对象，相合无间。在悟性中，范畴也还离不了对象。在理性中，便不须有对象了。理性所得的概念，如“神”如“自由”如“不死”，所以并非知识，而只是一种要求了。

康德的知识论的体系这样广博精微，而又对于自然科学哲学调停得这样妥帖，原要称仅绝的造诣了。无奈他的先验说既为实在论者所深恶，而他的物之自体独立存在说，又为观念论者所不容。到了黑格尔，遂又转而为客观的观念论。

黑格尔克服了康德在知识论上的二元的困难，在他看来，物之自体，也就是那自存自足的理性——宇宙理性——的客观化，理性早存于人的思维以先。人之所以有思维，思维之所以能合理，正为思维即此理性在逐渐表现之故。所谓知识，也就是主观的精神（个人心智）对于客观与绝对之渐渐体合而已。主观的精神，转化于客观的精神，而又复归于绝对的精神，以达到理性的最高发展，这是前面已说过了的。人类所能得的最高知识，无非是理性之最高表现在思维中，人在思维着理性的自身，如其说，人这时已是绝对的精神的一部分，也竟可以说在思维着自己。思维者与思维的对象，主观及客观到此是完全统一了。

（三）道德　观念论者对于道德的问题，是不采取功利论而采取自我实现论，不采取决定论而采取自由论的。

康德称知识的能力为“纯粹理性”，道德的能力为“实践理性”。在纯粹理性中，我们以主观的立法（先验的格式）罩在客观上。在实践理性中，我们以自由的意志给自己立法。道德与知识不同，它是一个“当然”，而非“实然”。自然界只有必然没有自由。道德界限于自由，没有什么必然，自由的意志的立法，并不涉于公利，而只诉之于义务。义务的执行，是我们理性的“无条件的命令”，这与我们古人所谓“正其谊不谋其利，明其道不计其功”有些相似，而道德行为之有赖于自己的“强勉”也与常识相近的。

义务的执行，受着良心的命令，而不容许任何苦乐利害的计较掺杂其间。但是良心失却它的权威的时候怎样呢？于此黑格尔有不同的说法，他以为**自由只是必然的认识，道德只是理性的发展，义务之所以为义务，正以其为理性之所不得不然**。黑格尔既然把道德作为客观的（非主观的个人的）精神（见前），对于社会制度是十分重视的。在主观的客观化（通俗说个人的社会化）之中，个人要完全服从客观，以客观的意志为自己的意志，则义务的执行是无条件的，而同时也是合理的。张东荪这样给他解释：

> 道德之根元既在个人以外，则个人之沐于道德，正犹如花草之被浴于春风，春风一至，百花不得不开。宇宙理性发展至某程度则个人遂有道德，社会遂有制度。盖个人至此乃代表

> 宇宙，理性以自我之实现而表现宇宙也。……康德之说重在自立法度，似偏于主观意志，黑格尔既重视社会道德，则以为有良好社会，自有良好人生。其与功利论显有共同之点可断言矣。[1]

为免于误解计，与其说他与功利论有共同之点，不如说它能指出道德的客观合理性。

（四）文化　黑格尔的文化哲学已见上述。读者参阅上章我们所说文化的性质，于此更应特别注意几点：

文化是普遍性的，是宇宙的。虽则像唯物论者认文化是阶级性的一样，观念论者们中间，也很有认文化是民族性的——从菲希德直到现时德意志、意大利的哲学者。但如黑格尔所说民族文化也不过是普遍文化发展的阶段，是永恒中的变异，是“一”中的“多”。民族文化在发展之中，必然地有转化和扬弃的。

文化是精神的，自由的。黑格尔说：

[1] 张东荪:《道德哲学》，页四八四。

> 文化在它的真实意义上，是自由，是达到较高的自由之活动。它是向普遍的道德性的转化，向普遍的精神的提高。它不是直接的，自然的，而是精神的，个人的自由。从严厉的对自己主观性的斗争中才能够获得这斗争的严重使得许多人会后退的，可是文化只有从这斗争中才能够获得，从这斗争中主观争取了它的客观性，靠这客观性它才能成为理性的实现。[1]

这种自由的意义是为讨论以后观念论的教育哲学时所必须了解的。

观念论哲学给我们的是一个完成合理的宇宙，除了伟大的负有历史的使命的人物以外，绝大多数人，只有坐视宇宙理性的一正一反的发展，帖然地俯受它所给各人安排好决定好的地位。说这地位也并不怎样合理吧？不，我们应该体认出它的合理性，“一切实在的是合理的”。杜威批评得很尖锐：

[1] Lugueer：*Hegel as Education*,p.109.

德国观念论应用于社会哲学的效果——纵使用意不是如此——是为政治现状供给一种自保的壁垒以抵制从革命的法国传来的激烈思潮。虽则黑格尔彰明地扬言国家与制度的目的，是在于促进一切人的自由的实现，但是它的结局是把普鲁士国家神圣化，而供奉官僚式的专制主义。[1]

四　唯用论

在哲学史上，唯用论是一个晚出的学派，它是十九世纪后半叶才发生的。它又被常人当作一个特殊的美国的学派，关于这一点，以后再说。在本章开头叙述哲学的问题，我们说到知识的问题时，曾说起“以知识的可靠性完全须以效用或结果来证明者则为唯用论”。所以唯用论主要的是一种知识哲学与思维的方法论。初看似不能与古典的唯物论、观念论列于同等的重要的地位。但我们在本章没有列举现代所有哲学的学派的企图，所

[1] 杜威著，胡适、唐擘黄译:《哲学的改造》，页一八〇。

提到的只是为理解后来讲述教育哲学的准备。而杜威的教育哲学的重要性，是不待烦言的。即以哲学而论，唯用论确于唯物论、观念论或二元论以外，开辟了一条新的道路，谁也不否认它是现代哲学上的一种进步的趋势。有人说它是反映十九世纪的科学发展中人们的乐观和自信的趋势，而不能不随着这二十世纪以俱去的。但即使这样在哲学的发展上，也就已代表了一个重要的阶级了。

美国学者皮耳士（C.S.Pierce，1839-1914）于一八七八年发表《如何使我们的观念明了》（*How To Make Our Ideas Clear*）一篇论文，主张一个观念的意义完全在于它在实际行动上所发生的效果。我们如求出承认某种观念时有那些效果，不承认它时又有那些效果，那么这观念的意义便明了了。皮耳士自称他的哲学为 Pragmatism（旧译实用论，实用主义，现依张东荪译唯用论），而不称 Practicalism，乃是从康德著作中看到康德把 Practical（实践的）用于先验的道德，而把 Pragmatic 用于经验所得的技术，皮耳士自己是生长在科学实验室里的，他所感兴趣的，是思维的技术，所以他采用了康德的 Pragmatic

的名词。

先是一个经验论者的詹姆士（W. James，1842-1910）受了皮耳士的影响始申说唯用论的关于方法的理论，关于真理（知识）的理论，和关于实在（本体）的理论，因此本是逻辑上的唯用论，成功了一个哲学的体系。英国席勒（L.C.S.Schiller，1864-　）更加注重知识与真理的依于人生的要求，名其哲学为人本论（Humanism）。在美国，詹姆士以后，唯用论的最用力的代表便是杜威（Dewey，1859-　）。杜威少时，也是一个新康德派的哲学者，他对唯用论的贡献，是把逻辑理论的体系，更加完成，把这思维方法更加推广，用于社会与教育的问题上去。因为他认观念是一种工具，人所用以应付行动上的困难的，所以又名其哲学为工具论（Instrumentalism），而一般人也称他为实验论（Experimentalism）。其实实验是方法，而非所谓“主义”，工具论的名词也不及唯用论的概括。以上我们虽以杜威哲学为说明的范围，而名词还是沿用创造者皮耳士所用的唯用论。

唯用论主要的是知识与思维的哲学，像杜威还反对牵涉到形而上学的问题，我们是应该先从思维方法论说起的，但为求与前述唯物论、观念论中各题目相一致，而便于我们的比较，也就先说一说唯用论关于本体与宇宙的理论。

（一）实在　杜威以为哲学应该放弃古典的形而上学的问题的讨论，而专以它的方法来解决人生实际的问题。他在《确定性的寻求》（*The Quest for Certainty*）说：

> 放弃关于绝对的，不变化的实在（本体）和价值的探求，看似一个牺牲，但这放弃正是进于一个更有生命的工作的条件。探求人人应用，人人应学——因为它是社会生活的基础所保障的诸价值，这一种探求，凡有善意的人们，不能与哲学为敌，而只能为反的。[1]

可是唯用论者到底不能没有他的宇宙观，若问他这宇宙的最后的实在是什么，他尽管采取一个不可知识的态度，却也答复道：**人所知的最后的实在便是人的经验**（Experience）。在古典哲学里，经验指的是人对外物的

[1] Dewey：*The Quest for Certainty*, p.311.

感觉，知觉以及由此而起的观念思维。所以经验论的哲学，以前会转变到卜克莱的主观观念论，而说："存在即被知。"(To be is to be perceived.)现在唯用论者几于说："存在即被经验"(To be is to be experienced)，不也随入观念论的陷阱吗？不，我们先要郑重地说明唯用论者所谓经验是什么。

旧哲学里的经验，是人对客观世界的静止的被动的摄取印象的一种事情。唯用论者，反对此说，以为经验是生物对于环境的积极的**能动的交互作用**。一个有机体存在于环境中，依着自己生活的需要，对环境有不断的因应。最初这有机体所得于环境的印象只是一个浑沌，在其不断的因应之中，始由认知而分析出主观与客观，能知与所知来，这认知不是被动的，而是能动的。认知的主体与所知的客体，不是对立的而是相续的(Continuity Versus Antithesis)。经验就是有机体与其环境的交互作用，在经验里主观与客观不能分开，能知者与所知者不能离散。用极粗浅的比论来说，在呼吸里，呼吸器官与空气不能分开，在饮食里，消化器官与食物不能缺一的。若问经验是心的，还是物的，只能答：经

验是心物之交，是有机体与环境之交互作用。若问唯用论关于实在的问题，是唯心的还是唯物的，只能答：它是唯经验的。

能这样说唯用论在这里还不免于观念论的色彩，因为实在只是经验，而经验至少是有心智的生物才能自觉，无生物不能说到有经验，而只有机械的行动。这全部哲学所以是人本的（Humanistic）而非宇宙的自然的。但哲学根本上是人的思维，人的思维，怎样能超越自己的经验呢?

（二）进化　自然界的进化显示三个阶段。第一是无生物的阶段，这里事物的交互作用，只可用“原因与结果”（Cause and Effect）来说明，只有机械的因果的联系。第二是生物的阶段，生物与环境的交互作用，可用“刺激与反应”（Stimulus and Response）来说明，这已不是机械的必然的因果联系，而生物的能动的适应已占了重要的部分。第三是心智的阶段，在高级动物和人类，其与环境的关系，是有了目的，而采取适当的手段以求其效验，所以应该用“手段与效验”（Means and Consequences）来说明了。

人类以心智改造经验（即改造他和自然环境的交互作用）是科学发展的伟绩所充分证明了的。虽则物质环境的控制似乎远胜于人类所对自己社会环境的控制，自然科学的效用，远胜于社会科学的效用，但人类并不因此而减损这世界可以无限的改善的希望。既说是进化，进化是不能有限制的。这世界是可无限的改造的。在相当限度内，它是柔软可塑的，人类可以无限的加工来塑造。在相当限度内，我们可说，世界是人造的，人要怎样就怎样。

宇宙是未完成的，正在不断的成长之中。人类在它的生活上，所以，有无限的可能与责任。从这宇宙观以发生的人生观，如詹姆士说，不是悲观的，却也不是怠惰的乐观的，而是积极的勇敢的“淑世”的（Melioristic）。他这样幽默地说：

> 假如上帝在创造世界前这样的对你说：“我要造一个世界保不定它是可以救度的。这世界的全善不过是有条件的，各靠各个分子各尽它的能力。我给你这机会请你加入这个世界。你

> 知道我不担保这世界是平常无事的。这是一个实在冒险的事业，中间有许多危险，但是你也许能得到最后的胜利。这真正是一件社会互助的操作，你愿意参加吗？你对自己与其他工作的人，有那么多的信托来冒这个险吗？”若上帝这样问你，这样邀请你去参加这个世界，你当真怕这世界不平安，竟不敢去吗？你当真不情愿做这根本上多元的“不合理的”宇宙的分子，宁可躲在睡梦里不觉醒么？[1]

（三）心智　在自然界里与物的交互作用机械地进行着，而生物的对于环境，则有所动作，有所施为，而感受其效验（Undergoing its Consequences），这施与受的交互作用，便构成它的经验（Experience）。但低级动物不了解这施受之间的关系，也无从加以控御，到了人以神经系统的发达能依自己的目的对付环境，采取适当的手段而得到适当的效验。人的经验的这个品质谓之心智或智慧。心智不是一个“体”（Entity），而只是一种

[1] 詹姆士著、孟宪承译:《实用主义》，页一九五。

“用”（Function）。不是一个名词而是一个形容词，或说是形容动作的副词更好。

这是“心智的自然化”（Naturalization of Intelligence），其说与观念论和二元论都大异其趣的，杜威说：

> 在自然界里交互作用是进行着而发生变化的，但没有智慧，这种变化是无指导的，无约束的，这种变化便只有结果，而不是效验。因为效验包含有意使用的手段，但等到一种交互作用起而指导变化的过程时，自然的交互作用，便具有一种新的品质和方向了。这种新加的交互作用，就是智慧。人的智慧的行为，不是从自然界以外加进来的一件东西，它就是自然界自身在为着更完满更丰富的结果而实现自己的潜能而已。自然以内的智慧便有解放的发展的意思。自然而外的理性（如观念论所说）只有固定和限制的意思。[1]

[1] Dewey：*The Quest for Certainty*, p.214.

这样唯用论者看得人是和生物相续的，经验是和自然相续的，心智是和经验相续的。他始终采取相续而非对立的（Continuity Versus Antithesis）看法。智慧虽然不是超自然的本体，而在人类生活里占着无上的地位。靠着它，人类能够指导自己的经验，而改变自然与社会的环境。这世界在不断的成长（Growing）之中，一部分是人造的。智慧有创造的作用。这里唯用论和唯物论又分述了。

现在我们要说到思维的性质和过程。

智慧与经验相续，思维与行动是分不开的。杜威说：

> 思维是对于行动与效验之确定的关系的有意识发现的尝试。发现了它们的关系，它们便相续了。这消灭了它们的隔离性，而归到一个统一的发展中的情境。这情境是被了解了被说明了……。说思维起于发展中的情境或未完成的情境，就是说思维起于不确定或有疑难的情境。[1]

[1] 杜威:《民本主义与教育》，页二六〇。译文不照邹译。

思维起于行动的疑难，而归结于效验的确定。杜威分析它的过程如下：

> 任何思维的两端是疑难的情境和确定的情境，前者可以称为反省前的情境，它设定所要解答的问题；后者可以称为反省后的情境，它含一种满足愉快的经验上的结果。思维就在这两端之间进行着的。在这两端之间，思维有以下的五个形态：（一）暗示（Suggestion），在这里思维跃进于一种可能的解决；（二）问题（Problem），将直接经验的感觉的困难理解化了，而成一个待解决的问题；（三）臆说（Hypothesis），用一个一个的暗示，作为观念或臆说，以发起和引导观察及其他寻求材料的心智作用；（四）推理（Reasoning），推演臆说中应有的涵义；（五）试验（Testing），在外表的或想像的行动中，试验臆说求得证明。[1]

[1] 杜威著，孟宪承、俞庆棠译：《思维与教育》，页九五。这里思维的五步，与杜威一九〇九本不同，系根据一九三三年本。

这样杜威的思维方法论是心理主义的而非论理主义的。他以为形式论理学，只分析思维的结果，而他分析的是实在的思维的过程。科学上实验的思维是依这过程进行的，他称自己的论理学为“实验论理学”（Experimental Logic）。

（四）知识　在知识哲学上，经验与理性、实在与观念之争，到了唯用论的体系里，有了新的解决。我们不是说唯用论是唯验论吗？可是经过以上的反复说明，我们知道唯用论者所谓经验，并不指对于外物的感觉，如古典的经验论者所说，而指生物对于外物的交互作用，指心物之交。纯经验是一个浑沌，无所谓感觉或观念，感觉与观念是在对外物适应中分化出来的。知识非是唯物论者所想，是外物在意识里的反应，或观念论者所想，是理性的自我发展。知识是生物在行动上的工具，用以指导经验的。杜威这样说明感觉与观念的关系：

（一）在实验的认识中作用，它的前端总是起因于自然界的一种经验的素材，但以未经控制，是不确定的有疑难的。经验的素材，是

> 生物与环境的自然交互作用所产生，本身上非感觉，非概念，亦非二者的混合，这种素材，就是一切日常未证明的经验的材料。（二）感觉（事实）与概念的辨别，是为了进行探究达到证明的结论中，有意造成的。（三）所以感觉（事实）或观念都非绝对的，固定的，而是偶然的，临时的。只要观察供给更好的证据，科学的进步供给更好的指导的臆说，事实与观念，都得修正的。（四）因此作为事实或作为观念（理论）的材料，不断地互相检核。其中一项的进步，同时就引起另一项的进步。三者不断地互相影响，以改组经验的素材，构造可以认识的新对象。[1]

感觉不是外物的临摹或反映，观念也不是先验的格式或范畴，都是整个经验以内一种辨别而已。

知识的起源不是感觉，不是理性，而是人的在环境中的行动。知识的可靠性，决定于效验，决定于行动的

[1] Dewey：*The Quest for Certainty*,p.173.

成功。唯用论的“知行合一”是如此。

（五）道德　道德是人在社会环境中的经验的品质。道德的标准，是社会的标准。杜威把“社会的”（Social）与“道德的”（Moral）二个名词常常看作相等的。社会的至善，是人人欲望的满足。这不是狭义的快乐论，是显然的，而反可说是自我的实现论。个人要求发展，但他的发展，要不妨害而有益于人人的发展。民本主义是社会的理想，在他同时是道德的理想。他不像康德那样认道德有先验的法则。在个人的经验的发展与改组之中，只有以智慧认识动作与效验的关系，以求确定情境中的善的实现。道德的原则也如别的原则一样，是可以随时修正的。在道德的行为中，智慧占着无上的地位。

关于决定论与自由论的争执，唯用论者根据他们的宇宙观，都是偏于自由论的。但智慧既是自然化了，自然的决定，当然并不否认，不过在人类进化的阶级上，智慧愈解放，选择的自由的范围愈放大，而所负道德的责任也愈增高。自由与责任是对等的。没有自由的人，不能选择行动的各种可能的方向，所以也不能负行动的责任。能够自由考量行动和效验的关系而选择所为的人，是了解应得的效验而负责的。[1]

（六）文化　知识的起源于行动，我们已说过了。杜威坦白地说：

> 如果我们看一看知识的历史，便了然于人类最初只是为生活的行动而求知识的……理智的欲望除当作取得更大的行动的安全的手段，没有意义。[2]

文化是人类行动的积累，是完全实用的。例如宗教的起源是：

> 不能应付所生活着的世界，人就设法和宇宙全体发生一点关系。宗教的起源，是这种尝试的表现……像溺人的抓着浮草一样，是初人缺乏现在所有的工具技术，就逞着想像，在

[1] Dewey and Tufts：*Ethics*, p.436.

[2] Dewey：*The Quest for Certainty*, p.318.

苦难中抓着了宗教当作安慰。[1]

着重进化和发展的观点，如杜威，用不着说，他是以文化为正在发展之中没有什么永恒不变的，文化随着时代和社会的不同而不同。关于经济的因素它是十分重视的，虽不像唯物论者那样以为经济的基础决定了一切，他说：

> 工具与目的的必然关系说明我们为什么给予社会的经济形态以特殊注意。我们的意思并不是经济价值高于一切价值。但在现代经济势力，比别的势力，更有决定的影响。它比别的势力更能影响于人所能做的是什么，他的发展是怎样。而且把经济利益与理想利益分开，就表示把工具和目的分开，结果是目的变成空虚，而工具不用于达到理想的目的，而只产生犷悍的不公正的结果。所以注重经济的因素，并非由于什么先验的理论，说它有必然的重要

[1] Dewey: *The Quest for Certainty*, p.10.

> 性，而是由于它在现代文化上所实有的重要性。因为工具和目的的有机的相联，因为经济因素在价值（理想）的实现上有促进的也有阻碍的力量，因为它是最可以用集体的努力来改进的，它是其他价值的一个钥匙。[1]

因为唯用论的哲学，注重行动，注重效果常被人指为美国新商业主义的反映。杜威于此有很剀切的剖白：

> 在考虑一个哲学体系与民族的因素的关系的时候，必须记得这体系所包含的民族的生活的某些方面，也必须记得它所反抗的另外某些方面。正如从来没有一个哲学者，不抓住自己的时代的生活的若干方面，而把它们理想化起来。也从来没有一个哲学者，单因为理想化了他的社会环境的倾向和特征，而就值得称为哲学者。……欧洲大陆的思想者，以为美国哲学，在某种意义上反映美国生活，那是很自然

[1] Kilpatrick（editor）: *The Educational Frontier,* p.296.

的……好多年来我们的哲学，只是欧洲哲学的回响。唯用论，新实在论，行为论，罗衣斯（Royes）的绝对观念论，桑他耶那（Santayana）的自然观念论，那一种不是美国的改造？但它们不是新造的，它们都种根于英国的大陆哲学里。不过既然是改造，它们就表现美国生活的特征。但它们决不限于复现这生活里的缺陷，它们并不为赞美美的生活所夸张的力和动。它们并不反映美国生活里的极端的商业主义。无疑的这些特点，不能没有影响于美国的哲学；如其我们的哲学不受这影响，也就不算民族的自发的了。但这些运动所表示的一个基本概念是行动与机会，只有在使生活更合理更有价值的限度上，才有意义。以唯用论来说它反抗着美国生活的许多倾向，而主张**行动应该是智慧的思维，应该占着生活的中心的地位的**。……我们尤坚持智慧应该是未来的理想的泉源，和唯一的保障。我们认世界在不断的创造中，我们要给自由新异，和未来的地位；这种思想在美国的发展的，不固定的生活与文化里，当然格外容易诞生。但也不能说这种思想，只限制于美国才有，虽则美国生活的情境，是帮助这种思想变成自觉的。[1]

[1] Dewey : *Philosophy and Civilization*, pp.13-35，"The Development of American Pragmatism".

第四章　唯物论的教育哲学

在上章，我们已经分析了哲学的问题，已说明（很不充分地）几个哲学的体系。自此而下，应该叙述这几个体系里的教育的涵义了。而在这开始的时候，还有几个要点须得先加陈述。

（一）教育是在实际的社会、实际的民族里进行的，它的综合的理论，也不是各个民族相同的。虽则哲学是一个哲学者的思维，而它思维的不容不受它自己社会的环境的影响，是前章末了所引杜威的话已证明了的。我们的教育哲学，应该是中国的教育哲学，从我们民族自发的教育哲学。这哲学里的问题，当然还是那实在、宇宙、心智、知识、道德、文化等问题。但必于每一问题，依我们所有的真知确信而解答了，而所综合成功的理论，又是准对着或指引着这民族里实际教育进行的。可是没有哲学的素养，这种自发的教育哲学不会产生。本编只是一个现代欧美教育哲学的浅说，供给教师哲学素养的一点基础，并不能够担当那样高的任务。

（二）哲学是个人的思维。我们要讲欧美教育哲学，实是讲几个人的教育理论。我们提出那几个人呢？单以唯物论来说，要从十八世纪法国唯物论者，说到十九世纪自然进化论者，再说到现在辩证唯物论者，范围也很广泛。还有观念论，唯用论呢？我们为避免与教育史或哲学史重复，为叙说讨论的明了充分，不得不将范围约之又约，只能于每学派举出一个人为代表——或说示例，因为实在无所谓代表。关于唯物论，只能述到辩证唯物论创始者以及它所引发的苏联的教育理论。关于观念论，将研究一下意大利新观念论者香梯尔（Geatile）的学说。关于唯用论，我们当然还是研究杜威。

（三）哲学虽是个人的思维，而个人不是社会环境里孤立的一个存在。相反地哲学者的理论，必参照或代表着自己的时代或社会环境。这三派的教育哲学，恰恰代表三个绝不相同的社会制度和理论。辩证唯物论者要求产生一个社会主义（至少是社会主义的一个形态）的社会，香梯尔即使不是一个确定的社会制度的代言人，至少自承是意大利民族文化的自觉者。杜威对于民本主义的社会的忠诚，那是大家所知的了。这种种社会制度和理论不但在前章没有一点说明，就是以后除必要的联带说列的以外，也并不能够特为解释。为什么？因为这一部分社会科学的知识，应该为研究教育学的人所已经具有，严格地说，是不属于教育学的范围内。

（四）这几派教育哲学，有的是极端的，有的是比较调和的，但既各表现反映一种社会制度，并不是对着我们的社会而立论的。中国的教育哲学，必然是我们民族所自发的；这是我们的确信。但因知识上的忠实计，对于每派，我们都竭力说明它的理论的真相。我们只朴实地给它说明，不但说没有能力给它辩护，也绝无意于为它辩护。

以上数点，须请读者先加注意。

一　辩证唯物论创始者的教育理论

在教育的领域里辩证唯物论者应用他在社会科学里

所用的辩证的方法，以分析教育的基本因素，证明它的依存于社会阶级的经济利益，发现它的发展中的矛盾法则。

（一）对十八世纪唯物论者的批判　正如在经济学、历史学、哲学的诸部门，辩证唯物论是先行的理论一个发展，它在教育学上，也继承十八世纪唯物论者与社会主义者的遗产，而使它有更高的发展。马克思说过的：

> 以前唯物论者所肯定的人类本性的善如智力的平等；经验，习惯，与教育的万能；外界情况对于人的影响，劳动的重要，人人享乐的权利；这些主张与社会主义的关系，是不需特殊的智慧即可看见的。[1]

但他以为初期的空想的社会主义者这种正确的观念（“人是环境与教育的产儿”的观念），却为了他们没有以行动去改变这环境而因之改变这教育，没有为无产者的利益而参加争斗，以致只达到了一个观念论的结论，

[1] Marx：*The Holy Family.*

那就是：他们想以教育来改变环境的一个空想。

> 唯物论者虽以人类为环境与教育的产儿，却忘了环境是要人去改变的，教育者自己是需要教育的。这样，不可避免地，他们把社会分裂为两部，而以一部安放在别一部的上头了。[1]

（二）对十九世纪中叶教育事实的分析　工厂劳动对于儿童心智道德的发展的损害，是《资本论》里所再三诉说的。马克思以为“将未成熟的人化成生产剩余价值的机器”，其于儿童心智之伤残，比原始的愚昧，还要酷厉，因为“原始的愚昧虽使心智不能发智，还没有伤害它的发展的可能”[2]。

英国议会在一八三四年通过的工厂法规定，儿童被雇于工厂而在十四岁以下者，应每日有二小时的强迫就学，可是工厂所有者，怠于这法律的履行。支配阶级的使用以保障自己的利益，反映于整个教育制度、教材、

[1] Marx：*Thesis on Feuerbach.*

[2] 马克思:《资本论》，第一卷。

教法以及师资的训练。法国一八四九年的教育法律，则简直“以人们的愚昧无知为国家在普遍选举制度下存在的必要条件”。在各国国民教育的经费，在国家预算中占有极微薄的地位。支配阶级没有给人以真教育的余裕，即使有，也不肯用的。“其所给予劳动者知识的多寡，则以自己的利益为衡。”[1]

可是劳动者的组织意识着教育与知识在自己解放的争斗中的重要，终于创造出自己的教育机关，如学校，图书馆来。“劳动者虽从早年就像牛马一般的被雇用，虽不能与优越的青年一样享受教育的机会，而他们的不可含忍的生活，迫使他思想等到一抛弃他们的麻痹和忍耐，就已获得了自己解放所必须的一切了。”

（三）对未来教育的要求　在 *Manifesto*：*Resolution of the Geneva Congress Critique of Cotho Programme* 等文献中提出了教育的要求，这要求是儿童的义务就学的普及；工厂中儿童劳动的废除；教育与生产的合一。

关于后一点马克思以为教育有三个部分：（1）智慧的教导；（2）身体的发育；（3）多种工艺的训练（Poly-

[1] Engels：*The Situation of Working Class in England.*

technical Training)。所谓多种工艺的训练，指对于生产各部分的科学原则的了解，以及简单的工具的使用这种训练，儿童应从九岁开始。从九岁至十二岁，儿童应参加生产劳动每日二小时，从十三岁至十五岁，每日四小时，十六岁至十七岁，每日六小时。初等教育，则必须于九岁以前开始。他以为劳动者的子女受了这样的教育，能使他们超过其他阶级的能力。他以为教育与生产劳动的合一，是社会改造的一个有力的因素，不止是增加社会生产的方法而已，实在是发展这健全的人格的唯一的方法。

（四）生产制度与生产教育的矛盾　在资本的生产制度下，要施行如上所述的多种工艺训练，却不可能。这是由于资本社会的分工与机械生产的分工的矛盾。前者维持着僵化的精细的工作类别，而后者要求工人对于各部门过程的流动的工作变换，虽然如此，就在资本生产制度里也产生了工业、农业的学校出来；在这种学校里，劳动者的子女也获得若干生产的知识技术，以及工具的运用了。不过这种学校是与它们的社会生产关系完全矛盾的。所以只有在集体的社会生产制度成立以后，才能充分发展。生产教育是要等到生产者占有了政权以后，才能有它的应有的地位的。[1]

二　苏联的教育理论

一九一七年俄罗斯革命后成立苏维埃社会主义联邦，辩证唯物论，被认为苏联的正宗的哲学。它的教育制度这里不能叙述，其中最重要的一个特点，如康特尔（Kandel）说：

> 在别的国家，特别是成人教育运动未开始以前，教育与学校几于异名而同实。在俄国却运用国家的全部机构来施行它的教育，来创造新的意识形态，新的世界观。“教育即生活，生活即教育”的理论，没有旁的国家真的具体化过。[2]

[1] 马克思:《资本论》，第一卷。

[2] Kandel：*Comparative Education*, p.75.

整个教育的过程，包括“养护”(Nurture)与“教学”(Instruction)。前者指一人或数人对于另一人的系统的长期的行动，以发展他的生理的和社会有用的品质。后者指一人或数人对于另一人的系统的长期的行动，以造成他的确定的世界观，并传递给他以生产上必需的知识。这样说，教育一方面是交替反射的组成，另一方面是确定的人生观与世界观的启发。[1]教育的过程，是与生活相终始的。

教育是社会的，卢梭以后的自由的教育理论，只是空想。惟有以确定的，强迫的行为形式，才能发展坚决的“意志”与克服困难的坚定的品性。品凯微支(Pinkevitch)说：

> 要训练一个有坚定意志的人，而不用强迫，是不可能的……。没有比那骄纵的小暴君(指儿童)指挥着他的母亲，姊妹和保姆，将自己顽强的“我”放在一切之上，更可怜的事。从儿童时期骄纵惯了，到以后稍遇着艰难的

[1] Pinkevitch：*New Education in Soviet Republic*, p.2.

> 情境便退缩了，幸而这种教育，是资产者所受的，无产者都从一种严厉得多的学校出来，这说明了在革命的时候资产者的衰颓，和无产者中间，为什么产生坚决勇敢的战士。[1]

社会的教育，是“社会里的，通过社会的，为着社会的”（Education in Society，Through Society，and for Society）。不过社会不是一个统一体，所谓为着社会，先要指出为着那一个社会阶级（Society Class）的。

以下，我们从教育的目的、内容、方法三方面，看一看苏联的理论。

（一）目的　照品凯微支说：“俄国养护和教学的目的，在帮助康健的、坚强的、积极勇敢的、独立地思维和行动的人的全般发展，使具有现代文化的各个方面，而成为无产者的利益——最后也就是为全人类的利益——而争斗的战士。”除了一个阶级利益的观点而外，凡个人的发展或文化的传递，都是任何社会里的教育可以有的目的。而从阶级利益的观点，则对于所谓文

[1] Pinkevitch：*New Education in Soviet Republic*, p.59.

化的选择、评价，便须有若干认为准确的标准。这种标准，我们寻常就称为目标了。

人对于任何现象的评价（Evaluation）有三个参照点：（1）主观的真，即科学的结果；（2）主观的善，即社会（或道德）教育的结果；（3）主观的美，即艺术教育的结果。为什么说是主观的呢？真、善、美并没有绝对的普遍的标准，而是从一个社会阶级的利益的观点而决定的。

（1）科学教育的目标，第一，**养成纯粹的辩证唯物论者**。儿童应该以科学的方法，理解客观的实在；从生命、自然和社会的联系、矛盾发展中发现辩证的法则。关于实在的许多无证明的假设，应该予以严正的批判。第二，**发展科学的分析的能力**。这指研究与实验的主要方法，即数学的方法，自然科学的方法，历史唯物论或社会科学的方法，区域地理学的方法之四种。第三，**注重教材的具体性相关性**，避免抽象与孤立。总之，科学教育的原则是完全依据辩证唯物论的。

（2）社会教育的目标，在于培养一个阶级的集体主义（A Proletarian Collectiveism）与其阶级的行为标准（Its Class Norm of Behavior）。品凯微支说：

> 我们不知所谓统一的，绝对的，人类的“道德”，如果有更适当的名词，最好废止“道德”这样字样。每个社会阶级，有它的特殊的“道德”，可是无数人们有意或无意地受这特殊的行为标准的指导，而以人类道德之名义行之。在我们的行为里，我们坦白地承认只为阶级的利益，而非为全人类的幸福，虽则我们知道事实上这阶级占着人类中间的绝大多数，我们不说我们的标准是人类的，绝对的。[1]

（3）艺术教育的目标，在于从阶级的观点养成正确的，审美的判断。这里，我们也只好让品凯微支来解说：

> 在自然的环境里，在技术的成就里，在天才的艺术的创作里，都有美。像在“善”的价值里一样，许多美的表现，有普遍的爱好的反应。可是我们依然说美的形式的了解和创造是有阶级观点的。倘使海岸或山巅的自然的观赏，

[1] Pinkevitch：*New Education in Soviet Republic*,p.106.

> 人体的优美和健全的宝爱，资产者和无产者是一样的。但把形式与内容综合起来，艺术还是大部分依阶级观点来评价的。我们一个文艺批判者说得对："将经济地位所决定的本质，投入艺术的形式中，每个阶级使用艺术来训练它的成见，使具有它的态度和理想，以保证它的生存胜利与权力；间接地把其他阶级克服在自己的精神势力之下。"[1]

以上三类目标，是对于文化的三种评价的标准。这种标准，在教育的过程里确立了，就造成了儿童的确定的人生观与世界观。

（二）内容　从表面上看除掉一个阶级观点，使各课目教材的评价与选择不同而外，苏联学校的课程，应该与别的国家没有很大的歧异，然而确有一个很大的歧异。

最初苏联取消小学中学的名词，把儿童与青年的普通教育，从八岁起，放在一个十年制的"统一劳动学校"

[1] Pinkevitch：*New Education in Soviet Republic*, p.165.

（Unified Labor School）里。后来，依马克思书中所用的旧名词，又改称十年制的“多种工艺学校”（Polytechnical School）。其中八岁至十二岁一段，相当于我们所谓小学；十二岁至十五岁，十五岁至十八岁的两段，相当于我们的所谓初中高中。在苏联这三阶段是衔接而相续的，成为所谓四年制学校，七年制学校，十年制学校。这种制度或名称上的更换并不重要，重要的是“劳动”或“多种工艺”的决定的因素。

将儿童的科学知识与技术、道德的理想、艺术的兴趣，统一在生产劳动的活动课程中，这理论，并非苏联教育者所创始或特有，品凯微支把以前倡导劳动课程的人，如来伊（Ley），萨来尔曼（Sharrelmoun），凯欣斯泰纳（Kerschenstenier），杜威（Dewey）至苏联的教育者加拉希柯夫（Kalashnikov），勃龙斯基（Blonsky），按照他们的阶级分布，而列成一表。因此而说孰为反动，孰为进步；他当然有权利可以这样说。但就照马克思的历史唯物论来看，经济基础决定了意识形态，也就不必愤怒于前人的“反动”了。苏联的教育的重要性，不在于教育理论之自身，而在于它的经济制度所引起的空前的文化的解放，彻底的劳动学校，是靠着它的生产发展中具体化的。**在计划的生产制度里面，学校与工厂农场的紧密的相联，使得“教育与生产的合一”，获得了具体的表现**，这事实，比任何理论上的争辩都重要。

原来在苏联，多种工艺学校的课程，并不是一朝的收获，而是从革命以后到第一个五年计划成功（一九三三），经过了十五年的长期的发展。一九二七年以前的“自然、劳动、社会”三组的混合课程法，如美国所谓设计课程之类的东西，也只好算自然的试验。真的每个学校都有劳动的工厂的设备，又都与工厂相联络，而使学生参与生产的活动，是在五年计划中渐渐成功的。

现在所谓多种工艺教育，包括：

（1）普通教育：语文、数学、物理学、社会科学的主要内容；

（2）工艺教育：指“生产的主要部门”（Essential Branches of Production）的科学知识，与使用工具的技能；

（3）学习与劳动的紧密相联；

（4）身体的正常发育；

所谓生产的主要部门，经过许多技术专家的分析，而包含（1）机械的生产（Mechanical Production）；（2）化学的生产（Chemical Production）；（3）力学（Energetics）；（4）农艺（Ayrononties）。[1]

（三）方法　关于教学的方法，品凯微支只提出二个基本原则：（1）教学要与实际生活问题有密切的联系，所以要以实际生产劳动为中心；（2）教育要与儿童发展的阶级相适应。对于后一点，他这样说明：

> 在教学的过程里，社会政治的因素和儿童的因素，那一个应占决定的地位呢？换句话说，如果政治的要求和儿童学的结论的要求有矛盾，应该怎样办呢？把儿童屈服于政治要求之下，还是相反的呢？根本上，这问题是无谓的。正常的教育过程的组织，没有这种矛盾的存在。这两个因素没有得到综合教育的过程便是错误了。所谓把儿童屈服于社会政治之下，

[1] Svodkovsky：*The System of Public Education in U.S.S.R.*，载 *Socialist Constinction*，1933, Vol.1.（Voks）。

是什么意义呢？那就指对于儿童有某种的要求，而妨碍他的心与身的发展。这样，无论从儿童的观点，或教师的观点，算是有益的程序吗？我们的答案是坚决的否。凡不顾儿童发展的特点，而强制地施行社会政治的原则，只会发生有害的结果。一方面，社会政治的目的不能达到；他方面，儿童的正常发展被损害了。但是把社会政治的要求降低于儿童之下，也是同样不可辩护而有害的。因为这样将予旧社会秩序的支持者以攻击苏联教育的机会，而使苏联教育失却它的基本的原素，不能适合劳动者的利益了……。**社会政治的要求，必与儿童的能力兴趣相调和**。在常态之下，既然每一要求预先经过从儿童学的观点的评价，当然也并没有矛盾……。任何部门的知识，是依综合的辩证的方法，而提示出来的。[1]

这一段话，虽没有什么新意，却也证明无论教育目

[1] Pinkevitch：Pinkevitch：*New Education in Soviet Republic*，p.140.

的与内容怎样地社会政治化，而一涉方法的问题，现代教育学的一般结论还是同样地有效。苏联教育者，对于所谓“儿童本位”的一概念，并没有一般流俗理论家所有的误解啊。

品凯微支根据以上第二个基本原则，又提出教学方法约四个，要点如下：

（1）学习的经济（Economy）；

（2）发展的顺序（Gradual Development），这里他采取廓美纽斯（Comenius），裴斯泰洛齐（Pestalozzi）等一再说明过的法则，而略加修改，即从（心理上）简单的到（心理上）复杂的，从已知的到未知的，从具体的到抽象的；

（3）自发的有目的的活动（Spontaneous，Purposeful Act）；

（4）儿童对方法的了解（Method Revealed to the Pupil）。

叙述品凯微支的教育方法论，止于如此。再说一说我们所知道的苏联学校方法的演变的情形。

一九二七年以前统一劳动学校所用的设计课程（包

括教材）和方法，前面已经提到过。在那初期苏联试验了无数的新的方法，设计教学法与道尔顿制等美国的自由试验，都在其列。照苏联那样强迫意味的教育理论，原与自由试验不相容，何况新教育方法所必需的师资和教材的准备，如果一有缺乏，方法必归失败的呢？近年似乎一切都标准化了，例如一九三三年二月二十一日《真理报》载：

> 教育委员部的错误的政策，使苏维埃学校至今没有固定的教科书，而反认为是革命的成功的界石，中央执行委员会认这种情形绝对不可容忍，而训令：
>
> 一、教育委员部关于教科书的政策，应该予以指斥；
>
> 二、违反中央执行委员会的命令的若干法规，应该撤废……
>
> 三、称为“设计课本”或“活叶教材”之类的出版，应该禁止……
>
> 四、教科书经审定发行后，未经批准不得更改。

又如同年九月二日《纽约报》(*New York Herald Tribune*)载:

> 苏联二千五百万儿童和青年,这星期开始在二十万小学校就学的时候,感觉到最近一年来所进行的一个教育革命了。一年前教育上彻底的革新,是分团制(道尔顿的修改)与设计法的取消,以及教师的严厉训导地位的恢复。七年制学校组织成功为十年制学校。课程上,注重人类基本的知识,包括传统的三R,而将次要的东西降到次要的地位。多少年来没有见到的笔试,在上学年的终了时举行了,以往活动的教材小册,现在也废止了,而代以六个月来苏维埃学者热狂的劳作而得的固定的教科书。[1]

从理论与实践的一贯性说,这种方法上的变动,实在毫不足异。

[1] Demiarhkevich: *An Introduction to the Philosophy of Education*, p.189 所引。

三　教育理论的影响

马克思的教育思想，只要他的社会哲学的关于教育所必有的涵义，并不能算一个教育哲学的体系的。苏联的教育理论，同样也只是它的社会理论的一个部分。孤立的来看，是不能了解它的重要性的。这理论也在不断发展之中，十几年来，似乎还没有获得它的确定的形式。就它所已发生的影响而言，这已经是历史上没有先例的巨大了。

在苏联以内，它是一个坚决的突进的教育运动的指导理论，教育的范围扩充到包括生活的全部活动，使教育与生活，真的合成一体。教养与文化的机会，普及到前所想像不到的劳苦人群，证明经济的发展，可以决定文化的发展，教育的内容，集中于实际生产的劳动，使教育与生产有了不可分的联系。这在别的社会里理论上不是没有先驱，而实践上却是第一次的表现。

在苏联以外，它是一个对于教育理论的有力的刺激。历史唯物论的观点，到处爆发教育理论上的斗争。虽则把教育当作孤立的社会现象看，苏联教育理论的本身离开了它的社会理论并没有很多新的发现。而这理论的重要性，正在于它的必然地引起社会理论的变动。因此许多教育论争，实在都在教育的领域以外，最保守的学者如德贺夫（De Hovre）也知道：

> 一个很可注意的事实是：教育上的大论战从来不在教育心理学，甚至不在所谓教育学的领域里。现在教育者们所讨论的大问题，底子里是哲学的问题。除非当作哲学的问题不能解决。[1]

怎样说苏联的教育理论必然地引起社会理论的变动？可以举一个例来说明：一九三三年克伯屈（Kilpatrick）、杜威等称为《教育的边疆》（*The Educational Frontier*）的合作论文集，而一九三六年有人著书称《教育与社会争斗》（*Education and Social Conflict*）对前书作驳论，则坦白地要求美国教育的苏维埃化了。[2]

---

[1] De Hovre：*Philosophy and Education Introduction.*

[2] Langford：*Education and Social Conflict*, Maomillon.

第五章　观念论的教育哲学

一　黑格尔以后

康德以一七七六年始在哥涅斯堡大学主讲教育哲学（见第一章）。黑格尔的哲学，在一八二〇至一八三〇年间，达到它的最高潮。他自己没有系统的教育学的著作，而卢圣克兰慈（J.K.F.Rosenkranz，1805-1879）所著 *Podagogikals System* 就完全属于黑格尔的体系。他以一八三三年起主讲于哥涅斯堡大学，继康德、海尔巴脱（Herbart）先后所主的讲座。他这书于一八八六年在美国刊行英译本即称 *Philosophy of Education*，大约是英文中第一部教育哲学的书籍了。[1]

现代观念论的哲学，在德在意大部分还是所谓“新

［1］孟宪承:《黑格尔的教育哲学》，载《教育杂志》二十五卷二号。

康德派”（Neo-Kantianism），或“新黑格尔派”（Neo-Hegelianism）的支流。

德国新康德派哲学，有二大中心：一、马堡学派（Marburgschool），包括柯亨（Cohen，1842-1918），拿托伯（Natoip，1854-1924）等人。二、西南学派（Southwest German School），则以文德尔班（Windulband，1848-1915），黎卡德（Rickert，1863-　）等人为代表。

迪尔戴（Dilthey，1833-1912）继续西南学派的余绪，他以为哲学即是宇宙的精神的逐步的表现和发展。从哲学史上，我们即可察知各个宇宙观（唯物论、主观观念论、客观观念论）的递演，也即可体会精神生活的丰富的可能，和具体的展开。哲学既是宇宙的精神的自身的表现，则所以求得真理者，只在我们自己返求诸心。他称之为亲证或体验（Erlebnis），一般自然科学与他所倡导的“精神哲学”（Geisteswissenschaft）在方法上的分别，也就在于前者是客观的认识（Erkenntnis），后者是主观的省悟（Verstehen）。

柏克（Bucken，1846-1906）独张一帜，不属于前述的学派，他格外强调精神的宇宙观，而在他精神是积极的行动性，精神是一个活动，一个奋斗，是困难的克服，是胜利的争取。人对于宇宙的解释，决定于他的精神生活的最充分最积极的要求，而并不仅决定于他的理智。因此所谓真，乃是人的精神生活要求其“当然”，而不仅是“实然”。宇宙的实然几乎是人的精神所创造。这种宇宙观的方法，他称之为“精神学”（Noologic）的方法，他是离开客观观念论，而复归于主观观念论了。

这时德国观念论的教育哲学可以简约为两派：

（一）**文化教育学派**（Kulturpedagogik） 这是迪尔戴哲学的演变**偏于客观观念论**的。主要的学者和其代表的著作如下：

斯勃郎格（Spranger，1882- ）:《文化与教育》（*Kultur und Erziehung*，1923），《生活的形式》（*Lebensformen*，1924），《人民国家与教育》（*Volk Stant Erziehung*，1933）。

李德（Litt，1880- ）:《认识与生活》（*Erkenntnis und Leben*，1924），《历史与生活》（*Geschichte und Leben*，1924），《现代哲学及其在陶冶理想上的影响》（*Die Philosophie der Gegenwart und ihr Einfluss auf das Bildungsideal*，1930）。

克里克（Krieck，1882-　）:《教育哲学》（*Erziehung Philosophie*，1930），《民族政治的教育》（*National Political Erziehung*，1932）。

（二）**人格教育学派**（Persönalichkeitspedagogik），这有倭根哲学的余风，**偏于主观观念论的**。学者和代表的著作如下：

菩特（Budde，1865-　）:《精神学的教育学》（*Noologische Pedagogik*，1914）。

林特（Linde，1804-　）:《人格教育学》（*Persönalichkeits-pedagogics*，1897-　）。

福斯特（Foerster，1869-　）:《青年论》（*Juveniltheory*，1911-　）。

前述诸人的教育理论，在我国至今还没有系统的介绍，从日本书籍转译过来的，则见于姜琦《现代西洋教育史》（商务《大学丛书》）。文化教育学派，见此书第四章，人格教育学派，见第二章，读者应细心地参考。

现在，我们可以开始叙说新黑格尔派的巨星香梯尔的教育哲学了。

二 香梯尔的生平

香梯尔（Giovanni Gentile）生于一八七五年五月二十九日。他的故乡是西西里（Sicily）的 Casleltravano。在披沙（Pisa）的高等师范学校肄业的时候，为耶耶（Donato Jaja）的弟子。而这耶耶是意大利黑格尔学派巨子斯派文泰（Bertrando Sparventa）的学徒。

香梯尔的教育经验是在冈波巴梭中学开始的。他在那里任了一年级的教师，后来他又在尼伯尔中学（Lisce di Naples）教育五年。在那里他和观念论哲学者柯罗采（Croce，1866-　）同事了。柯罗采说他："深挚地体验过学校的生活而宝爱着这生活。"[1]

一九一四年他在披沙继了耶耶的讲席。一九一七年以后他被任为罗马大学哲学史教授。

他和柯罗采的友谊是意大利新观点论的泉源。一九〇三年，他们创一杂志，题名《批判》（*Critica*），是一个文史哲学的刊物。他们在罗马大学同事，久负革新教育之愿。柯罗采于一九二〇年曾任意大利教育部长，以

[1] Croce：*The Reform of Education*，序。

政治的混乱，未有所成。一九二二年十月法西斯进攻罗马，墨索里尼掌握了政权，就邀请香梯尔加入内阁，他以那年十月三十一日就任教育部长，以一九二四年七月一日离任，在职不到两年。虽这样他已经手创了今日意大利的教育制度，而以最高教育评议会主席的地位，至今他对意大利教育的设施，有极大的势力。他的教育哲学的渗透了、渲染了整个意大利教育则不待说了。在一个意义上，他对世界教育的影响，还远不及杜威，因为他的理论，只因政治关系，而为意大利人所接近。但以哲学者而改造了教育的，在现世，杜威以外香梯尔要算第一个人。

他的主要的哲学著作有：

《心是纯动的理论》(*Teoria Generale dello Spirito Come Atto Pure*, 1922)。英国哲学者卡尔（H. Wildon Car）的译本称 *Thoery of Mind as Pure Act* (Macmillan)。

《现代意大利哲学的起源》(*Le origini della Fhilosofia Contemporanea in Italia*, 3, Vols, 1925)。

《知识论的论理学体系》(*Sisteme di logrie Come Teorie del Conoseete*, 2, Vols)。

他的主要的教育学著作如下：

《教育哲学总纲》（*Somnorie di Pedagogic Come Scienze Filosofia* 2，Vols，1913），这书有英译的撮要，见Thomson：*The Educational Philosophy of Giovanni Gentile* p.127-214。

《教育的改造》（*Le Reform dell Education*，1922），有Bigongiaci的英译本称*The Reform of Education*（Haecurm Brace）。

康特尔（Kandel）说：

> 因为香梯尔的观念论的哲学注重"绝对"，注重精神的全能，和历史的真理的重要，它就被采取为法西斯主义的哲学，而他是被推举出来担当法西斯的教育改革了。他的精神至上的观念和法西斯的国家至上的观念，他的个人发展的要求，和法西斯的教育行政的统制，其间并没有什么矛盾。因为他以为个人的精神只有在民族的精神里能够实现。可是他和他的同僚，虽以民族的文化为个人人格发展的条件，他们

> 的目的，却与政治上的民族主义离开得很远。只因为他们倡导民族英雄的研究，给予利用教育于政治目的者以现成的机会。英雄崇拜，很有利于意大利的独裁者……。香梯尔辞职以后，意大利教育，也愈加法西斯化了。[1]

三　哲学与教育

香梯尔以精神为最后的实在，而精神的发展，依着辩证的法则。主观的（个人的）精神，必经客观化而才能达到统一绝对，这在大体上都是黑格尔的旧说。所谓“新观念论”又有什么新的意思呢？我们不能不把香梯尔的哲学，先从几个要点上，再说一说。

（一）精神的能动性　照黑格尔说，绝对的（宇宙的）精神，是自动的有创造力的，但主观的精神，却沉没在那里面，虽也有它的发展，而其发展的形式，几乎是前定的。如果我们能说，主观的精神，是绝对的精神表现，那么为什么不能说主观的精神，也就是自动的，有创造

[1] Kandel: *Comparative Education*, p.461.

力的呢？香梯尔的精神是纯粹自动的理论，即是由此而出发的。

他以为精神（或心）不是一个“已有”（Being），而只有一个“方成”（Becoming）。精神的存在，不是一个“事实”（Fact），而只一个“活动”（Act）。**精神存在于它的活动中，“我”与万物是一体的**。所谓“主观”只是我在现在瞬间（Moment）的白热化的一点，而“客观”是我在过去瞬间所已凝固了的。在主观与客观的统一中，我把过去瞬间再放在现在瞬间里，以便于推究和分析我这时已领悟自己（也就是宇宙）的法则。或者说达到了自我意识，也就是“自我实现”（Self-Realization，自我的实在化）了。

在所用的术语上香梯尔也不与黑格尔完全相同。“主观的精神”香梯尔又称为“个别的”（Particular）与“抽象的”（Abstract），宇宙的“绝对的精神”他称为“全体的”（Universal）与“具体的”（Concrete），而这不仅是名词上的变换而已。无论在本体论或在知识论上香梯尔特别注重一个整全性。

为什么“个别的”（人与物）反是“抽象的”，而“全体的”（宇宙精神）是“具体的”呢？这似乎反于常识，而是香梯尔哲学的紧要关键。浅近地说，宇宙的本体，是一个自动，自创的有机体，是整全的，而个别的人与物，只是这全体的部分，这有机体的各器官部分不放在全体上，不能显示任何的意义，各器官不与整个有机体相合一，不能表现任何的功用。为认知说明的便利，我们尽管将个别的抽象化了，隔离开了，而当作孤立的个体看，但不把它放到全体的关系上，依然不会了解它的具体性，实在性的。这点待下面说到知识论时，或者更可明白。

我们的思维或哲学，目的在于体认宇宙的具体的（即全体的）实在。怎样能够得到这体认呢？在宇宙的全体中，我与万物是一体的，当我在思维以辩证的法则，我已否定了我，而倾注于客观的对象。这对象又只是全体的一个抽象而成的部分，我在这瞬间便悟到了全体。所谓悟到了全体，便是自觉我与万物的本源的实在。在这一瞬间，宇宙全体的精神，以我的思维而自己意识着自己。或者说我是宇宙的最明觉的一点。我也就代表宇宙全体的精神了。唯物论者以哲学理解实在，而观念论者如香梯尔则以哲学表现实在，或竟说创造与实在。

这几于堕入神秘论了。让我们再看看他的知识论会不会显豁一点。

（二）知识的整全性　在未说何谓整全性以前，先引香梯尔对于知识哲学上实在论与观念论的辨别。

> 所谓实在论（Realism）是一种思想，将一切实在，当作外界的存在，与思维是分开的，而将知识当作观念与外界事物的符应，所谓观念论（Idealism）是更高的一种思想，它认思维以外的实在为不可知论。它以为实在不只是一个心的对象，而必须存于心之外，使心能够思维着它。实在即此思维之自身。这思维必定是有的，否则我们怎样能依它而肯定此外任何的实在？这思维，又必定是实在的活动，否则我们为什么不陷于虚幻的梦境中，而能够依它而认识实在宇宙的生命？我们既然不能想像，这活动会从自身离开，而投入外界事物里，那么，就是说：它用不着离开自身才能与实在相

> 接触。所谓物质的存在，被假定为在于思维以外的，多少只有错觉，真正的实在乃是思维的活动所实在化（Realized）的。除非把思维当作基础，我们是无法想到任何的实在的。[1]

实在即思维的自身，则我们认识实在而有的知识，就不是对于外物的符应，而是对于全体的体会。例如说，椅是存在的；在这一知识中，椅、感知椅的眼、认知椅的脑和思维，是一个整全体。我们任举其中个别的一项来说，仅为说明的便利，其实是抽象的，而非具体的实在。椅之实在，只有在认知的精神活动中才有的。例如我们读了但丁（Dante）的《神曲》而能欣赏，在这欣赏中，《神曲》的每一节，每一行，每一字，抽象地个别地看，并没有意义。《神曲》是但丁精神的一个整全体，甚至与他的时代的历史文化是一个整全体；而我们所谓欣赏则是把他的精神放在我们的精神活动里，而成一整全体。《神曲》之实在，只有在读者的精神活动中才有的。总之，知识的主体与所知的对象，是一个整全体（Whole

[1] Gentile：*The Reform of Education*, pp.73-74.

or Concrete），是一个统一体（Unity）。我们没有这整全的自觉，便得不到实在的知识。换言之，**离开了我们自觉的精神活动，则所谓知识不是实在的具体的**，而只是虚拟的抽象的了。这一点，应用于教育上，在香梯尔是看得十分重要的，因为，在他是这"儿童自动"的真铨。一般学校里着重的机械的事实，原则公式的知识，没有经过儿童自动的创造的过程的，香梯尔就斥为"抽象的"知识。

以上关于本体与知识的理论，同时也就是道德的理论。**我与万物是一体的，我与万物同其是非，同其好恶，同其忧乐，同其安危**。道德之存在于自我之实现（实在化），而不在外界之结果，也是自明的了。

这种哲学，很容易被认为主观观念论甚至唯我论（Selfism）。如其不了解它的文化与民族的哲学。

（三）文化的民族性　我们先要反复前说而确定文化的精神性。

一切实在不是"已有"，而是"方成"，不是"事实"（Fact），而是"活动"（Act）。文化是精神的表现，只有于精神活动的瞬间，于发展或方成的过程中，才有所谓文化。历史贻留的决定的文化，也只有于主观的（个别的）精神，把它放在现在活动里，而重新创造出来的时候，才有发展。香梯尔说：

> 现在我们可以了解文化的精神性（Spirituality of Culture）的意义（把文化还原于人的精神活动的意义），及其在教育学上的重要。作为教育的全部内容的文化，因为只有在个人的人格里才有，因为只有在精神的活动里才“成”。不是一样东西。不在书籍里，不静止地贮藏在心里，在精神活动的前或后，都没有文化。不存在于团或学校里，当我未入学校之时，或已入学校而与精神活动脱离之后，文化也不存在于我们的心里。文化不存在于任何地域，任何时间，任何人。它不是“有”而是“成”（Culture is not，it Becomes）。除了在它的成长，创造之中，它不存在。[1]

[1] Gentile：*The Reform of Education*, pp.127.

怎样又说到文化的民族性（Nationality of Culture）呢？

宇宙的精神，是一个全体，文化当然也是全体的普遍的（Universal）。但以其内在的辩证的法则，只有在各个民族的文化的多样性（Multiplicity）与局限性中，才有克服限制的成长和发展。个人不先完全体合于自己民族的文化中，也不能得到那克服限制的成长和发展，而认识普遍的文化。个人的人格是抽象（个别）的，“具体（全体）的人格是民族的”（Concrete Personality is Nationality），香梯尔说。

（四）民族的精神性　构成民族的是什么？共同的土地吗？语言吗？共同的政治生活吗？历史与风习吗？不是的，如果它们被当作物质的东西，是的，如果它们被当作精神的活动，土地可以分割或扩张；语言风习，可以殊异或改变；只有在人民共同的自觉，共同的意志中，才有民族性的出现。民族不是“已有”而是“方成”；不是“事实”而是“活动”。

表现共同意志的国家，同理，也是一个精神体或道德体。香梯尔称为“道德国家”（State Ethics）。它的本质是道德的。一切法律政治的制度，不是束缚人民的自由而是实现他们的自由的。这种为国家争取人民的自由是存在于不息的动，不断的斗争创造之中的。香梯尔说：

> 我们肯定我们的信念，而说国家不是人所逃避的一个障碍和约束的系统，而是一个道德的存在。像个人的人格一样，它在人类社会里表现它的人格，而获取它的历史的发展。它是作为一个集体的，同时是个别的意志，而意识着它的能动的发展，意识着他的不受任何限制的。那意志是民族性。它有自我意识和它的历史的过去的意识，我们心里认识着这意志，便划定了我们的民族性，产生了所要达到的目标，所要完成的使命。为这意志，我们于必要时贡献了我们的生命；因为我们的生命，只有用于这使命的完成上，才有真实的价值。[1]

[1] Gentile : *Li Fascismo al Governs della Scuola*, 见 *Schnieder and Clough Making Fascists*, p.85 引。

以竭力夸张个人精神的能动性，创造性开始，而以个人的意志沉没于国家的意志结束，香梯尔和黑格尔到底殊途而同归了。而杜威所谓“好像用一只手把东西贡献我们，同时又用别一只手把这件东西拿了回去”[1]，用以批评黑格尔者，于香梯尔也就一样适用。而这意大利哲学者对于民主主义所赋予个人的自由，也并不稍为宽恕。他这样说：

> 所谓自由主义，其实有二种：一种以自由为权利，另一种以自由为义务，一种的自由是发展，另一种是争取和胜利……前者把个人与国家对立起来，只为个人的幸福，而才建立公众的秩序，国家是工具而不是目的。这种自由主义没有内在的价值，……而且是虚伪的，不彻底的。这是英国的思想。马志尼(Mazzini)所批判的后者，是意大利和德意志的思想，它非笑个人和国家的假想的对立，它以为个人只有在国家的目的上实现自由，只有在共同的目

[1] 杜威:《民本主义与教育》，页九九。

的上争取。这样国家与个人是一体的。政治的艺术即是使个人目的成为共同目的，使最大量的自由与最大量的秩序并存的艺术。[1]

说到这里，读者可以恍然于为什么一个精神是纯动的哲学[2]，会和一个极端的政治行动结合起来，哲学是个人的思维，个人的思维，不能不受他的社会的环境的影响。在第三章之末，我们引了杜威的一点自我批判。被认为现代意大利的国家哲学的新观念论，有没有自我批判呢？

（五）哲学即教育学　杜威说过的："哲学是教育的一般理论，而教育是它的实践。"[3]而香梯尔则更有深彻的看法。

香梯尔的所谓哲学，已不止是任何系统的理论，而是把精神活动当作具体实在的一个宇宙观，一个人生信仰了。教育所从事的是文化的传递，而从受教者说是个人人格的发展，将人格发展的原理阐发无遗的哲学，还

---

[1] Prezzolini：*Fascism* 所引。

[2] 原文如此。——编者注

[3] Monroe：*Cyclopedia of Education*，Vol. 4, p.700.

不就是教育学吗?

他以为从来哲学，无不把教育的问题藏在它的胸怀里。教育的问题，不外乎两个方面:（1）人格的自然的发展，它的实然;（2）人格发展的目的，它的当然。关于前者的探究是心理学，关于后者的探究是道德学。终十九世纪教育学者尝试着心理学的观察实验与道德社会的基础，不解答教育的问题。但二者是不可分的联系，而且二者的根底都属于思辨哲学。没有哲学把它们联系起来，教育学是不能建立的。海尔巴脱（Herbart）的教育学体系，曾提把二者综合的，可是他没有见到二者的内在的联系，所以也没有成功。只有理解宇宙的具体(全体)的实在的观念论哲学，能够成功这种综合的。

我们如深解上述香梯尔的哲学，则它的教育的涵义，也很明了。为使读者更加了解计，不惮反复，再从教育的目的、内容、方法各点申说香梯尔的理论。

四　教育的目的、内容与方法

（一）目的　无论从受教者主观地说，教育是人格的发展，或从社会客观地说，教育是文化的传递，它的目的是什么呢？单从个别的人格而言，教育没有什么目的。不信，看杜威，他不是就说发展不能有终点，所以教育不能有目的吗？但就从文化而言，照香梯尔说，文化不是“已有”，而是“方成”，文化是永远存在于其发展与创造之中的，怎样能有目的的限制呢？教育也不是“已有”，而是“方成”，不是“事实”，而是“活动”（an Act，not a Fact）啊。[1]听他雄辩似的说：

> 显然的，教育不是一桩事情，可以容许学究与教匠，以他们的议论来干涉这结合父母与子女，老者与少者，结合人类在不断的向上中的神圣的爱的工作的。未有“教育”这名词以前，先有教育在进行了；未有“教育学”以前，先有这学问的生命在成长了。人类的反省的思维，如苏格拉底圣知地说在求“自知”（Know Thyself），在意识着自己的工作，而不以冲动决定自己的行为，在疑问着一切。低级动物自

[1] Gentile：*The Reform of Education*, p.35.

然地跟着本能而有它的生活，人类却不断地在对自己生活作理智的探求。永远思维，永远向上，它寻求，它探索，常常颠顿于错误之中，却常常从错误中走上更高的智慧。教育是人类的，它是一个活动，而不是一个事实，它是一个问题，为什么我们所永远寻求其解答的，在我们自己的教育者的实际生活里，就可以实验地证明这点真理。我们感觉自己职业的新鲜之味怎样久，能够不受机械的常规或习惯的束缚怎样久；我们能够以常新的兴趣来观察每个生徒，而发现他的个性怎样久；我们能够继续想到每次有要显现的新真理，要成功的新试验，要解决的新困难，而带着一个颤动和跳跃的心走向教室里来怎样久；这样久，我们就真的生活着教育的生活；这样久，我们就对自己对别人证实了我前面所指的一点真理了。[1]

教育既是这样一种永在更新，永在成长的精神活

[1] Gentile：*The Reform of Education*, p.34.

动，怎样还能容许学究和教匠们来指定它的呢？然而圣知的香梯尔对于意大利的教育确不是没有他的目的的。

说教育的目的，在于人格的自我实现便不错了。但要记得，个别的人格是抽象的，只有民族是具体的人格，自我实现者即个别体的向全体的转化；用黑格尔的名词说，是主观体的向客观体的转化（Self-objectification whirl aims at Self-realization）。再浅显一点说，自我实现者即个人与民族文化的体合（Identification of Individual with National Culture）。所谓自我实现，如不于其辩证的过程上去把握，则变成个人主义的自我发展，而为新观念论者所以全力攻击的了。

（二）内容　教育的内容已不消说，就是民族的文化，但是香梯尔这种循守了黑格尔的绝对的精神的三阶段（艺术、宗教、哲学）而有他的特殊的课程的理论，说起来殊为烦琐，而且对于意大利学校课程有多少实际的影响，我们也不得而知。但为完足这一教育哲学的说明，且为和别的课程理论相比较，我们无法免去这烦琐。

艺术是纯粹的主观性的表现，宗教是纯粹客观性的表现（将自我完全毁灭了，而对于一个客观的神的体合），哲学是主观性与客观性的统一。只有在哲学中人自觉自我是和宇宙一体的，而宇宙的精神也由于自我的明觉而表现。

学校的课程，就具有这艺术、宗教、哲学三个方面或三个性质：（1）艺术性：如唱歌、图画、写字、作文等课目，这类科目应该注意精神的自由表现。倘使只会模仿临摹便陷于机械的学习，进而阻碍主观性的发展。（2）宗教性：这不但指宗教科目，凡向客观的未知者的寻求，如数学、自然科学，以及历史都属于这一类。在这些课目里面，主观者不以实在为精神所创造，而当它为已经存在，向它认知。（3）哲学性：这也不指哲学的形式课目，而指课程的应有整全性、统一性。以前的两类课目，是部分的、抽象的。如果儿童只获得这种抽象的知识，而不能以自己精神的活动，将它们统一起来，而深切体会它们的同为精神的表现，则文化与生活完全分离，而教育与人格的实现也没有关系了。所谓课程的哲学性，是要教师能够领悟前述观念论的哲学。而在各课目的教学里，充分发挥精神的活动，使整个课程，变成精神的实在，教师的需要哲学如此，那么，哲学即教育学一说，更明白了。

避免香梯尔的术语而说，课程有二个方面，一是主观的表现，一是客观的认识。而这两方面，必以儿童人格的发展为目的，使它们统一起来，这样，读者谅不至于不明白的。

所不明的倒是现代民众的教育里面，有若干重要的课目是香梯尔所不提的。例如生产的劳动（或就职业的训练）是属于艺术抑宗教呢？相信他的意思，定以为这种课目，分析起来，也不外主观表现与客观认识二个方面；那么就说构造制作是艺术性，而其所需的工具技术的知识是宗教性，也没有什么不可以，虽然初听起来，有些奇特。为要把一切课目，归纳在黑格尔的绝对精神的三个范畴里，奇怪的也就是平凡的了。不过香梯尔始终没有给生产的劳动以它的哲学上一个地位，似乎无从否认。

（三）方法　关于知识，实在论和观念论的看法不同，关于教学，实在论和观念论的方法也互相歧异。把知识当作外界已经创造了的东西，实在论者，只求怎样传达这完成了的知识。反之，把知识当作活动，当作方成，当作新创，观念论者在教学上要求儿童以自己的精神活动，重新创造知识。前者以教师为中心，后者以儿童为中心。离开儿童的精神活动，把知识当作砖瓦，一块一片传达给他是不可能的。学习是儿童的精神自动。

在儿童自动的教学里，教师的第一任务，是自己代表全体的实在。香梯尔说：

> 教育领域里一切任务中最重要的任务，无论古代或现代，是教师要对生徒代表全体的实在（To Represent the Universal to the Pupils）。当然是历史地决定的实在，科学的思想风习，法律，宗教，信仰等提示于生徒时，并不是教师的科学风习，法律，宗教，而是人类的，他的民族的，他的时代的。[1]

实在不是事实，乃是活动，不是已有，乃是方成。代表这全体实在者，也只有不断地以精神的创造的活动来代表。

[1] Gentile：*The Reform of Education*, p.36.

> 所谓学究（Pedant）就是街头叫卖者的风琴，常常发出同样的调子一样，常常背着诵着同样的功课，有时竟常常用着同样的语调。它完全失却了教育的精神性，失却了自己的创造性。他反复地运用着同样的文句分类，格言，概念——这些已是死的东西的照像。他拘执着规律，范本，窒息了自己精神的光焰，怕惧自己内心的震动，这样专业化的教师，就成了从古以来青年所被磨难而又好嘲弄的有名的学究。[1]

所谓教师（Master）是不背诵老功课的。他在生徒的精神中，常常更新他自己。他与生徒在一起学习的。教学技能的进步不外自己知识的更加透彻，更加融贯。不良的教学，是断续的，不完整的。良好的教学，像一个创造力的冲动，像一个源泉，在汩汩地不断地流。我们看一个演说者就知道了；他能够引起听众注意的多少，看他所说的有多少创造的精神，有多少清莹明朗，

[1] Thomson：*The Educational Philosophy of Gioranni Gentile*, p.71.

和全体性。至于什么技巧，方法，那他是所以全不理会到。因为真正的教师，是哲学者，是罕有的，一般师资的训练，不得不取以往伟大的教师和裴斯泰洛齐、佛罗培尔的方法为方法。可是取其躯壳，而弃其精神，到底不能化俗流为教哲。方法论者于此暴露了自己的无能，而只有再探求那精神的来源即哲学了。

哲学即教育学，思维的活动过程，即教学的活动过程，在师资训练上没有比哲学更重要的功课。

第六章　唯用论的教育哲学

一　杜威的生平

杜威（John Dewey）生于一八五九年十月二十日，是美国皐孟州（Vermont）伯林顿（Burlington）人，一八七七年毕业于皐宁大学，在乡教学两年。一八八二年入约翰霍坚斯（Johns Hopkins）大学，继续研究。在那时候，这大学是美国第一个采取德国大学研究的理想的新学府了。他以一八八四年受博士的学位，以后就相继在密歇根（Michigan）和明尼索太（Minnesota）大学任哲学讲师和教授。

从一八九四至一九〇四的十年，杜威致力于儿童与青年教育的实践以证明自己的教育的理论，发生最大影响的许多教育论文就成于这一时期的。他这时任芝加哥

（Chicago）大学哲学系和教育学系主任，创立一个实验学校，从小学而发展到中学，是美国乃至世界教育上一个划时代的教育实验。[1]

一九〇四年以后，他主哥伦比亚（Columbia）大学哲学讲座，几三十年。一九二九年，他七十岁了，才退休为名誉教授。他的哲学上最成熟的著作，也就成于这时期的最后十年中间（见后表）。

杜威于一九一九年在日本讲学后即来我国，留华两年，在南北各地方演讲，行踪历十一省，他的言论丰采贻留于我们的印象很深；他对于我国文化的变动激发的力量也很大。后来他又赴土耳其，也赞助土耳其新教育的建设。一九二八年游苏联所写《苏俄印象记》（*Impressions of Soviet Russia*），对于社会主义下的教育的试验有极深切的同情。他对于世界教育的影响，照批判他的比利时教育哲学者德贺夫（De Hovre）说：

> 大家知道，一个人和他的事业的成功并不是他的理论上的真确的保证，讨论到杜

[1] 详见 Edward R.Murrow：*The Dewey School*，1937。

威，我们不能不记得他的影响的十分广遍。在美国，他对教育方法改变的力量，和他同时的人没有一个能和他比较。在英国孟彻斯特（Manchester）大学的芬特莱（Findlay）教授就是他的信徒，并且照他的方法设立了一个实验学校。在德国负有威名的教育者凯欣斯泰纳（Kerschensteiney）也是他的崇拜者，所创劳动学校，是很接近于杜威学校的理想的。[1]

伟大的哲学者，是世界不属于那一国。

在他七十寿辰，他的弟子和友人聚集了给他一个盛大的庆祝。铸像于哥伦比亚，所有纪念文字则由与他没有关系的哈佛（Harvard）大学刊行。[2]

他的主要的哲学著作如下：

《思维与教育》（*How We Think*，1910，1933）。

《达尔文在哲学上的影响》（*The Influence of Darwin on Philosophy and Other Essays*，1910）。

[1] De Hovre：*Philosophy and Education*, p.106.

[2] Holmes（Editor）：*John Dewey: The Men and His Philosophy.*

《德国的哲学与政治》(*Germanic Philosophy and Politics*，1915)。

《试验论理与论文》(*Essays in Experimental Logic*，1916)。

《创造的智慧》(*Creative Intelligence*，1917)。

《哲学的改造》(*Reconstruction in Philosophy*，1920)。

《人性与行为》(*Human Nature and Conduct*，1922)。

《经验与自然》(*Experience and Nature*，1925)。

《确定性的寻求》(*The Quest for Certainty*，1929)。

《哲学与文化》(*Philosophy and Civilization*，1931)。

《艺术与经验》(*Art as Experience*，1933)。

他的主要的教育著作如下:

《我的教育信条》(*My Pedagogic Creed*，1897)。

《学校与社会论文集》(*School and Society*，1899)。

《儿童与课程》(*The Child and Curriculum*，1902)。

《教育中的道德的原理》(*Moral Principles in Education*，1909)。

《教育中的兴趣与努力》(*Interest and Effort in Education*，1913)。

《民主主义与教育》(*Democracy and Education*，1916)。

《教育科学的资源》(*The Sources of a Science of Education*，1929)。

另外英国芬特莱辑《杜威教育论文集》(*Educational Essays by John Dewey*,1910)，美国拉特纳(Retnaer)辑《杜威哲学文选》(*The Philosophy of John Dewey*，1928)。杜威所著书，翻译成别国文字的，据康特尔说有法、德、意、俄、西班牙、匈牙利、布加利亚、希腊、瑞典、阿拉伯、土耳其、中国、日本等文字。

二　科学工业与民主主义

杜威的哲学在第三章已说明它的大旨，我们本来可以继续指出他的教育的目的、内容和方法的。因为他的教育理论尤其根据于他的社会思想，我们不得不先叙述他关于社会与教育的一般意见。

在他所著《教育哲学诸论》(《民主主义与教育》)的序言里，他自己说道：这书所述的哲学，是将民主主义的发展，与科学中实验方法及进化观念，与工业的改造三者相映，而说明这些发展所指示的教育上课程与方法的改变。

现代三大革命是传统的教育所没有能够适应的：一、是自然科学所引起的知识革命；二、是机器发明所引起的工业革命；三、是民主运动所引起的社会革命。[1]在第三章里，我们已注意到他的关于实在，进化，智慧知识的理论怎样充分地配合于自然科学了。他以为自然科学是工业革命的条件，而科学与工业的发展又预备了民主主义的道路。工业革命的影响，在美国，于十九世纪末叶尤其显明。一八九四年举行的芝加哥博览会，是美国工业进步的界石。杜威在芝加哥所得的印象是给予他以改造教育的极大刺激的。至于民主主义，他所指的原不是美国的政治制度，不过，他说："我们的社会组织使我们必得相信这一种的人生哲学。"[2]

他的教育理论，所以是准对着民主主义的社会理想的。

（一）民主主义是经验的共享　凡社会生活，必有

[1] De Hovre：*Philosophy and Education*, p.106.

[2] Dewey：*Germanic Philosophy and Politics*, p.125.

若干共享的利益，也必有它与别的社会组织的若干交互的作用。杜威提示各种社会组织的评价的标准就是这两点：一、团体的利益为各分子意识地共享的，有多少？有几种？二、这团体和别的团体的交互作用，有多少限度？有几多自由？最满足这样标准的是民主主义的社会组织了。他说：

> 民主主义不仅是一种政治方式，主要的是经验共享的一种社会方式。共享一种利益的人数的加多，区域的加广，使得每个人的行动不能不照顾着别人，而且考虑着别人以指导自己的行动，这就等于撤除那阻碍人们认识共同行动的重要的阶级，人种和国家的畛域了。人与人的接触点的繁多和殊异表示所须反应的刺激的更加变化，这使个人的行动需要变化，也就是使他的能力因之而解放了。**为民主主义的特征的这种共享利益的范围的扩充和不同的个别才力的解放，最初当然不是从意识的努力得来，而是科学的应用。以后，生产交通的方法**

的进步所发生的结果，可是个人就得到解放。共享的利益既已经增多，那么怎样来维持，怎样来推广，便成了人的意识的努力。这种不容阶级分化的社会，必使它的文化的机会均等，普及于人人是显然的了。[1]

他又说：

如果民主主义有一个道德上的意义，那便是社会要求人人对他所贡献，而以不同的才力发展的机会给予人人（A social return be demanded from all and opportunity for development of distinctive capacities be afforded all）。[2]

民主社会的必须发展个人的才力，必须把发展的机会普及于人人是这样，它的教育应该是怎样的教育呢？

（二）个人的发展是经验的增长　在心理学上杜威

[1] Dewey：*Democracy and Education*, p.101.

[2] Ibid, p.142.

很早在四十年前，即与詹姆士同主张：意识的起点不是被动的感觉，而是能动的反应。旧说以为感官的刺激先达于大脑皮层由此引起感觉，然后继续传达到外传神经，而发生反应出来。杜威反对此说，以为视听等感觉经验的发生，乃由于已有一种反应先在进行着，有这先行的反应，而后才有视听。反应不是感觉的结果，而是它的先决条件，他这有机体自发活动（Living Organism as Spontaneously Active）的**概念影响到他的教育理论**是很大的。我们现在知道，小孩子不是静止地被动地位吸收知识的，而是因为感到生活的需要，活跃地，能动地，求得与环境更满意的适应的。我们现在都注意儿童在学习中的自发活动了。

可是活动不是活动的目的，活动是为求得与环境更满意的关系。换言之，求得经验的增长（Growth of Experience）。何谓经验？它是物我的交互作用，它是知行的相互完成，这在第二章里已再三解释。无目的的活动，有什么意义？有目的的活动，是以手段觅取效验，是在发现施与受的相关，是在以思维完成行动。行动是重要的，但行动中的思维更要经验，包括行与知，后经验中宇宙与人生，对于儿童逐渐取得意义的增长。所谓“教育即生长”（Education as Growth）就指这经验（行与知）的生长啊。

（三）社会的基础是劳作的共营　社会生活的基础是劳作的共营，精神的互助，他说：

> 一个社会，是为着共同目的，以共同精神，从事共同劳作的一群人。[1]

又说：

> 劳作是社会的，因为人类靠它而满足共同需要与目的的。没有各种生产的劳作（即没有社会的生活），人类的文化便不能维持下去。[2]

> 劳作固然为满足物质的需要，而道德的文化的价值，也从共同劳作中产出来的。脱离了

[1] Dewey：*School and Society*, p.27.

[2] Dewey：*School of Tomorrow*, p.163.

共同劳作的活动，是无法培养道德的（即社会的）理想和态度的。“离开社会的需要与动机，离开现实的社会的情境，而要培养利他与服务的习惯，那是教儿童离开了水做游泳的姿势，游泳决乎学不成功。”[1]

（四）传统教育危害个人与社会的发展　旧教育是旧社会生活的遗迹，在这时，已是一种“时代错误”的东西了。儿童生性是爱动的，爱做事的，爱劳作的；学校却把他们一排一排地排列起来静着听，静着看，静着摄取知识。结果所得的只是死的抽象的知识，在以往作为闲暇者群的装饰是可以的，现在要想以它而获得不同的才力的发展就不可以，这种教育是反心理的，反个人发展的。而尤大的弊害，还在于它是反社会的，反道德的。杜威说：

在学校里，社会组织的动机和关系两俱没有……知识的吸收，是这样一件个人的事情，

[1] Dewey：*Moral Principles in Education*, p.14.

自然养成了自私的习惯。在知识的吸收上，看不出有何社会的动机。它的成功，看不出有何社会的利益。实际上成功的唯一尺度，是考试中个人竞争的结果……竞争是风气。如其在作业上，儿童们互助起来，反成了一个罪状。这样完全缺乏社会精神的环境里，要培养社会的未来的成员，在道德方面，是一个悲惨的失败。[1]

传统教育把“文雅”与“职业”分裂起来，更加深化了阶级的分裂，尤其犯了危害民主的重罪。他说：

文雅教育培养未来的国民而使他们厌恶用手的劳动，并且毫不了解社会与政治的严重问题。职业教育训练未来的工人虽使他们有更高的直接有用的技能，而使他们无视于劳动的科学性，社会性，而且使他们后来在职业上没有灵活的适应。学校分成这两橛，意义便是个人的被支配于社会的命定，其与民主主义的精

[1] Dewey：*School and Society*, p.29.

神，是绝对不相容的。[1]

（五）民主主义的教育改造　杜威在我国已有那么样深的影响，他的教育改造的理论，应该为读者所习闻，现在以编者的一得，再提示若干的要点：

（1）**学校与社会**　学校应该化为民主社会的雏型，里面要有各种共同的劳作。就儿童一阶段来说，理想的学校像一个家庭；生徒在里面以自然的活动社交而有经验（物我的交互作用）的增长，就更高的阶段而说，那么理想的学校，还应像一个工厂，一个农场，一个道德的文化的社会。纺织、缝纫、种植、饲养、烹饪、木工、金工，各种构造活动是学校的中心课程，为的不是职业训练，反而是文化陶冶。**不仅训练技能，而尤其重要的是从这种劳作中培养儿童的知识与道德**。

一八九四年芝加哥的实验学校里，用的就是那样的课程。到一九一六年，杜威又这样写道：

我们一看已被学校采用的劳作项目，便可

[1] Dewey：*School of Tomorrow*, p.315.

见我们的资源如何丰富了。学校里的劳作，有用纸的，用硬纸片的，用木的，用皮的，用布的，用纱的，用黏土和沙的，用金属的，有的使用工具，也有些没有工具的。劳作的方法，有折叠，剪裁，穿刺，度量，陶铸，塑造，制型，使热使冷，以及使用锤，锯，刀等工具的活动。凡参观园艺，烹饪，缝纫，印刷，订书，画图，纺织……都是有社会的目的的劳作，不是仅为学习技能的。**教育者的问题在于怎样使儿童在劳作中不但有技能的熟练。自发活动的满足同时更获得了教育——获得了知识的结果和社会化的品性。**[1]

这种教育，是合于儿童心理的原则，尤其合于社会的原则。

我们把每个学校化成胚胎的社会，反映着大社会的生活而活跃着各种劳作，彻底渗透

[1] Dewey：*Democracy and Education*, p.231.

> 了艺术历史与科学的精神。学校把每个儿童放在这小社会里，使他浸渍于服务的精神中，而给予自我指导的有效的训练，那就是一个可宝可爱，而圆满的未来的大社会的最确好的保证了。[1]

教育哲学者在儿童的小社会里，贡献了十年的努力和光阴，就怀着这样深远的眼光，这样热烈的期望。

（2）**行动与思维**　对杜威理论的误解普通是以为他只注重行动这一点，在第三章之末已引他自己的话说明了。关于经验的意义，在经验里行动与思维的相联，我们已一再说过；上述劳作活动的课程也归结到知识的结果和社会化的品性，从此可知“由做而学”。

一个口号在一般人只看“做”的一端，而没有看到“学”的一端，智慧在生活里占着无上的地位，教育而不培养智慧，还称什么教育？“由做而学”必须解释为“由行动中培养思维”才没有毛病。杜威说：“学教所能与所应给儿童做到的一切，从他的心智方面说是发展他

[1] Dewey：*School and Society*, p.44.

的思维的能力。”[1]

思维的能力最好在行动中去发展，所以这样着重于行动的。在教育上“做”只是“学”的手段罢了，它自身并不是一个目的。

（3）**自由与自律** 对杜威理论的更大的误解是以为他鼓励自由、放任，而漠视道德的纪律。卢梭以后，教育者多讲儿童本性的自由发展。须知本性无所谓善不善，要看它在社会生活里怎样使用而后有善不善的。在物我的交互作用中，儿童认识了施与受的关系，获得了善不善的正确知识，才能“于自律中享有自由”，否则自由真的变成放纵了。杜威很早在一九〇三年就说过：

> 现代生活是民主的；民主主义是解放个人智慧，使用独立的行动的，我们自然将民主与自由联系起来。可是**只有行动的自由而无自由的思维的能力，便只造成混乱**，所以放弃外部的权力的制裁，是因为有内部的真知的制裁可以替代。教育上给予儿童个性以更大的自由，

[1] Dewey：*Democracy and Education*, p.179.

是靠着发展智慧的条件的。[1]

在一九三〇年他又这样说：

> 我当然不说教育不以儿童为中心。教育是以儿童为起点与终点的，但儿童不是一个孤立的个体，他生活在自然与人的世界里，他的经验并不完成于他的冲动和情绪，冲动和情绪是要伸展到事物与人的世界里去的，而经验没有达到相当的成熟，则冲动和情绪不知道向那里和为什么而伸展。它们是盲目的，未成长的。这时儿童如得不到指导（Direction），不但情绪只有盲目的作用，而且养成了幼稚自私的习惯。[2]

说“教育即生长”的人，莫忘却杜威说“教育即指导”(Education as Direction)。教育不是人的自然的生长，而是他的指导的生长啊。杜威所谓指导，也不是外力的

---

[1] 转载 *Journal of N. E. A.*，1929。

[2] Symposium："New-Education Ten Years after"，*New Republic*, 1930.

强制，而是内发的思维的自律。论到自由，论到道德，杜威的尊崇智慧，尊崇思维，是一般高呼“由做而学”的所没有想像的啊。

三　教育的目的、内容与方法

为使我们的叙述较有系统，再从目的、内容、方法各点上，申说杜威的教育理论。

（一）目的　什么是教育？从社会或施教者的观点说是文化的传递，从个人或受教者的观点说是人格的发展，而杜威却两说俱不取，他以为：

> 教育之心理的定义，只说心智能力的发展，而没有顾到这能力的如何应用，所以是贫乏的，形式的。反之，教育之社会的定义说是对于文化的体合，又将教育化为自外强制的过程。而将个人的自由，屈服于前定的社会政治形态之下。[1]

[1] Dewey：*My Pedagogic Creed.*

他喜欢说教育即生长，其实生长等于发展。大概为要别于黑格尔一派的发展论，所以另立新名，而说得充分一点，当然还须说，教育是指导的生长（Directed Growth）。杜威说：

> 教育是供给情境以保障生长（不管年龄）的一种事业。[1]

这所谓生长，不仅指儿童身体的长育（那不专属于教育的范围），不须多说。他所谓生长，是指儿童经验（行与知）的成熟和长进。所以他给教育的定义是这样：

> 教育是经验的改组，这种改组，是增加经验的意义（指知的方面）的，也是增加自己指导后来经验的能力（指行的方面）的。[2]

经验继续改组，继续更新，可以与生命相终始，学

[1] Dewey：*Democracy and Education*, p.61.

[2] Ibid, p.89.

习无止境，教育是无终止的，人虽至愚也不愿自求不长进的。这样一个与生命同终始的过程，可以说有什么目的呢？杜威大胆地说：

> 教育的过程，于自身以外没有目的，它自己是自己的目的。[1]

在生长的过程中，步步有目的的，整个经验是依着目的而采取手段的。这所谓没有目的，乃指全部过程（教育）不能有前定的终点罢了。可是我们要明了杜威的意思，他这里是从受教者的个人而言的，若从施教者的社会而言，是决不会无目的的，所以斤斤于只说过程，不说目的，或说过程与目的的合一者，是深恐如第四章、第五章里所提的目的，“将个人的自由屈服于前定社会政治的形态”而已。

读者或许要说杜威的民主主义，不就是他的教育目的吗？对的，不过不要忘了民主主义正是保障个人的自由发展的一个社会理想。

---

[1] Dewey：*Democracy and Education*, p.59.

（二）内容　教育既是经验的改组，它的内容（课程或教材）无论技能知识、理想、态度，不外乎经验中的能力与理解（意义）。书本代表的教材，全属于经验的意义方面的，而经验的改组，起于儿童的自身，所以必须劳作开始，渐渐进于理智的材料，方合于心理的顺序。所谓“儿童本位”，就是这点意思。杜威关于课程论，是主张从心理的顺序渐进于论理顺序的。他说：

> 教材主要的是给予现实社会生活以内的许多意义，社会生活是有连续性的，许多意义都是过去人类集体经验所贡献于现实生活的，社会生活愈益复杂，这种成分愈益加多，愈益重要，要传递于儿童，非经特殊的选择，表达和组织不可。这样做却又容易把教材当作自身的价值，而不把它当作儿童理解现实经验的帮助，教师更容易陷于一种错误，只使儿童记忆背诵，而不利用教材来影响他们的社会生活的活动。我们主张的原则，是儿童应该从**有社会功用的劳作活动开始，而进于这些活动所含的**

材料法则的科学的理解。在儿童自己比较直接的经验中，渐渐融合那有更成熟的经验者所传递的许多观念和事实。[1]

民主主义对于课程的要求是：打破文雅与实用，思维与劳动的二元的对立。这种对立，社会阶级对立的反映是旧教育的一个遗迹，所以杜威说：

民主社会里教育的问题，是破除二元的对立，而构造一种课程，使得思想成为人人的自由行动的指导，使得闲暇是人人服务的报酬而不是服务的避免。[2]

（三）方法　方法是教材的使用的步骤，这二者是合一的。以前所说关于行动与思维的许多话，适用于教材，已适用于方法。杜威说：

[1] Dewey：*Democracy and Education*, p.227.

[2] Ibid, p.305.

方法的主要步骤与思维的主要步骤相同。[1]

他对于方法的理论，就详见于《思维与教育》(*How We Think*)一书，值得我们的深究。至于美国所行的许多新的教学法，虽得于杜威的启发者很多，但没有一种是杜威所自创。他对教师们这样恳切地劝说道：

> 教师怎样能够做理智的指导者？这是一个重要的实际问题。第一个条件他要有充分而盈溢的知识，他的知识，要比教科书或任何固定教材所有的广博得多，然后才能旁通曲畅，而应付偶发的问题，他要有求知的热诚，然后才能使这热诚传导于儿童的心理。教师需要充盈的知识，有许多理由，过于显明，无须再说，而其中心的理由，或许还没有得到一般的承认。这理由是：教师在教课的时候，必须有余裕从事儿童心智反应的观察。儿童的问题在

[1] Dewey : *Democracy and Education*, p.102.

教材上，教师的问题在儿童心智上。如果教师对于教材不先有深透的熟习，使临时可以不假思索而使用出来，他就不能以全部的时间和注意，从事儿童心智作用的观察和解释，他对于儿童口语发表的意义固须用心，就是对于他们的身体表现（惊奇，厌倦，领会，佯作，注意，急于自炫，争先说话等）也要体会，从这中间，体会儿童理解和观察的程度。第二个条件，教师要有专业的训练，因为教师是儿童心智的研究者，他于教材知识以外，尤需要教育技术的知识……不幸这种知识有时被认为固定的行动的规则，而不当作自己判断和观察的工具，所以遇着这种知识阻碍自己常识判断的时候，宁可采取自己的判断，——当然要是智慧的判断。因为专业的知识而不能帮助观察和判断，便成为机械的公式，不消化的废料，反为教师之累了。一般人误以为教学的方法，就是机械的公式，皆由于不知思维在。[1]

[1] 杜威:《思维与教育》，页二四七。

教育上的重要，不外教学的方法，不外乎求知与思维的方法。上引教师的两个条件，是教师修养的指针。了解杜威教育哲学者，不可不深加体味。

四 杜威以后

四十年后，杜威以他的教育理论引起了世界教育上很大的变动，最近友人从美国回来的说，那里有几位先生讨论着“杜威以后——什么？”（After Dewey What？）的问题。编者没有这样的远识能够对这问题有什么探索，惟于讲述权威哲学之后，想从唯物论者、观念论者对于他的批判，以及唯用论者们自己的彷徨，说一个大概，以为本编的结束。

（一）唯物论者的同情与批判　综合品凯微支的意见，他对于杜威的以劳作活动为课程中心的理论与实验是十分同意的。——当然他应该同情的，他这样说。

照杜威的理论，学校应该以并非严格地职业的性质的生产劳动作为课程的基础，而这劳动须有社会的组织，它的社会的意义须使儿童充分了解……。这种劳动的价值又在于它不是自外强制而是儿童内发活动的使用，它的目的，因此是儿童所能够了解的。只要把儿童的实际生活联接起来，而有直接的劳作经验，儿童就有了真正的动机。这一点，杜威再三地注意，他以为教学内容所以变成机械的，无生命的，就由于缺乏动机，只使儿童记忆现成的材料，他就不会感着研究任何实际现象的需要了。现在以劳作为动机，儿童就自然倾注全力而欢喜学习了。

杜威对于学校的生产劳动，提出许多有价值的意义。大体的说，他深悟劳动的教育的意义。研究教育学的人，不可不读他的著作。不过杜威终究是一个资产者的代表，虽然是一个有才能的代表，所以他的思想体系和我们并不相融。

原来品凯微支对杜威最不满意的并不在于教育理论的本身，却在于社会理论上，他说：

> 杜威反映美国的主要精神在明日之学校里，他说："民主主义而容许固定阶级的构成，那是民主主义的致命的伤害。凡财富分配的不

均，对劳动的轻视，大群无技术的工人的存在，文化机会的不普遍，都造成阶级的对立，而使这对立深化，政治与立法，能够把这情形，改善一点，合理的慈善事业能够帮助一点。但唯一基本的改造力量是教育……”民主主义者如杜威所企想的，是劳动者对于剥削制度的协调，这种民主主义正是马克思于宣言中所指的，“只要求劳动者继续生活于资本社会里，而不应仇视它”。[1]

（二）观念论者的攻击　观念论和唯用论在哲学上的争辩，集中于实在问题（当然联带到神的问题）、知识与真理问题、道德问题，这里不详述，读者细看第三章也可以得到一点大意，现在单从教育上来说，观念论者对杜威的攻击，尤其在他的教育目的论（或无目的论）之上。

杜威是注重经验的目的性，即智慧性。然而因为他的“教育即生长”说，以为生长不能前定最终的目的，

[1] Pinkevitch：*New Education in Soviet Republic.*

所以教育的目的，只是更多的教育而不顾以别的目的来限制它了。观念论者也是认教育是发展的，但他所谓发展，有人格的精神的底子，这精神是宇宙的全体的绝对的，以全体决定部分，则发展的目的自然显现了。观念论者于此绝不放松而给予杜威以严重的打击了。例如何恩（Horne）说：

> “教育即生活”，“教育即生长”，“生活即生长”这三联的原则，说来何等好听，听了何等快感，可是没有说出接下去怎么办。生长有相当的，有错误的，有常态的，有变态的……许多称为“新教育”的实在是（杜威所预先警告的）生长的阻碍……，正常的生长的标准必须确立。教师必须知道怎样以正当的方法指导儿童的生长……，生长必须向着一个人格的理想。这理想并非“儿童的理想化”而是人生内容的目的与生活，形式的理想化。我们用不着怕惧目的，我们是不得不向着目的走的。目的的宝贵就在于它的不易达到，如达到，另外一

个更高的目的马上又代之而起了。那里有一提目的，便陷于固定生活的危险呢。[1]

关于课程的实用性，方法的行动性、直接性，观念论者也不能赞成，而必崇尚纯粹的理知着儿童所不能直接感觉的各种价值，但这些处所只要深解杜威的全意，似乎没有什么严重打击的可能，特别记得杜威是在讨论幼小的儿童的一个发展阶段的教育。

（三）唯用论者的彷徨　最后在杜威的信徒中间（或者说连他自己在内），对于实验方法，民主主义，尽管没有一些动摇而对世界别部分的变动以及美国民主主义的危机，却也深感苦闷。例如克伯屈（Kilpatrick）在所著《教育与社会危机》（*Education and Social Crisis*），又与杜威等合著《教育的边疆》（*The Educational Frontier*）等书中，已开始检讨美国的经济制度，开始感觉个人发展说的弊害，而提出社会计划，集体意识等口号了。这固然是知识者的自觉，而康特尔（Kandel）于一九三三年发表一篇比较重要的论文，就指出其中有一点思想的

[1] Horne：*Democratic Philosophy of Education*, p.53.

矛盾，他有一段这样说：

在这运动中最可惊异的现象是：擎起这新旗号者，便是二十年于个人主义，自由儿童中心等宣传最热烈的人，主要的两个教育团体，新教育社（Progressive Education Association）与新教同志社（New Education Fellowship）。二十年来，反对权威，反对强制，反对了预定目的，一切只靠生长，自发，忽然鉴于社会的危机，改换了新的方向，而喝着以集体计划，集体意志的教育，为社会改造的途径的论调了……。如有讽刺者揭开这新热诚的幻影，而提出下列问题来，他是可以原谅的，利己主义与以效验为真理，个人满足为行为动机的哲学有什么分别？剥削制度与以个人成功为道德所许，机械主义心理学所证明的哲学有什么分别？……克伯屈是向来反对预定目的，反对灌输强制的，现在说“惟有牺牲个人利益，尽忠全体幸福，才是最好的效验”。试问，如果教

> 育不受确定的文化的理想的指导，如果社会不超越个人，如果教学不施行良好的灌输，如果对社会的忠诚，不先定为教学的目的，克伯屈这句话，还有什么意义？[1]

这世界的自由思想者跟着杜威、克伯屈等在彷徨，在寻索。

[1] Kandel："Education and Social Disorder"，载于 *Teachers College Recoret Feba*，1933。

后　编

第七章　教育本质论

一　本质的意义

“教育的本质是什么”这一个问题，在教育哲学上，实是一个最基本，最主要的问题。并且我们还可以说，如果离开了这个问题，教育哲学就没有成立的可能。因为教育哲学的内容，是以这个问题的论究为其出发点，同时，又以这个问题的解决为其归宿点。这是一个很明显的事实，我们在这里是用不着多说的。

但是，就这个问题的解答而论，却不是一件容易的事体。

一般市民的教育学者，对于“教育的本质是什么”一问题，完全是盲目地，武断地，主观地去理解，所以，迄于现时，依然不能提示出一个明晰而正确的概念。

我们要了解教育的本质，须先了解什么是本质。在哲学上，本质和现象，原是两个主要的范畴。

依据哲学所给予我们的指示，一切存在的事物都是在运动过程中以各式各样的现象表现其存在。换言之，一切事物都以运动过程而存在，即是都以现象而存在。现象就是一切事物之在运动过程中的表现。浅显地说，事物之表面上的变化，即是所谓现象。

客观世界的事物固然是变动不居的，但在它的内部却有一个贯穿全体的比较不变的性质。这种隐藏在事物内部的一贯的性质，即是所谓事物的本质。如果拿一般的通俗的话来说，所谓本质，就是事物的根本的性质。

现象和本质这两方面，在一切事物之中都可以发现出来。科学的认识之任务，正确地说来，就是要透过事物之表面的现象而认识其本质，比如，社会现象是错综复杂的，而社会学的任务则是要从社会现象的全部复杂性之中去探求本质的关联。关于社会的本质之说明，在社会学史上，则有契约学派，有机学派，以及心理学派诸说。契约学派以为社会的形成，乃是根据于各个人之共同的意志所缔结的契约。在主张此说者看来，社会完全是由于它的组成分子之自觉的产物。有机学派把人类社会看成生物学的有机体，把社会的阶级分化看作生物体内部的各种机体与机能之分化，且进而把生物学的法则来解释社会的过程，因之，把社会学的法则还原为生物学的法则。而心理学派则以为社会系由人类心意相感之作用而起，把心理的发展程序看作是社会的发展程序，从而认为个人内部之心理的诸要素为一切社会现象变化之原因。

不待说，在这些理论之中都不能从社会现象之外的关联，洞察社会的本质。

站在与上述非科学的社会学相反对的立场的，便是历史唯物论。历史唯物论在说明社会的本质时，以为社会非由契约而成，非由心意相感之作用而起，更不是如有机体之完全受自然法则所支配，而是人与人为着物质的生活资料之生产所加入的生产关系之总和。在历史唯物论看来，整个的社会组织乃是一个生产的组织。基于这一个认识便能分析社会历史的过程，揭示出社会发展之真实的内容。我们可以说，因历史唯物论的理论之确立，才开始在复杂的社会现象之中认识了社会的本质。

在社会阶层的关系上，科学的认识也是由外的关联进到了内的关联。一般俗流的学者通常只是以数量上的区别，例如收入的大小，或消费的多寡等等作为社会阶层区别的基础。他们只是注意于社会阶层之表面的现象，而不能探求出社会阶层差别的真实的根据。卡尔的观点，则与这般俗流的学者完全不同。他指示出：社会所以分裂为阶层的根源不是由于收入的大小与消费的多寡，而是由于生产诸关系。具体言之，即是由于有产诸阶层间生产手段之独占与直接生产者间生产手段之被剥夺。在这种生产方式存在的限度内，社会就不可避免地分裂为诸阶层。

照上面所述，科学的认识，在其发展上都是透过事物之外表的现象去探求本质的现象。

因此，我们对于一切事物的认识，决不可只停留于表面的观察而应当深入到事物的内部，进而要把握事物的本质。

二　教育的本质

在市民的教育学尚不曾达到正确的说明阶段的现

在，一般市民的教育学者，对于教育的本质之理解，各异其说，所以，解说愈多，而迷惑纷乱之现象愈甚。

市民的教育学者，或是混同了教育的现象与本质，或是根本漠视了教育的本质，或是把教育当作孤立的现象而不明白教育与其他社会现象的关联，其结果不是本末颠倒，便是舍本逐末，各随其所见，加以主观的臆测。有人说，教育的本质是理念，有人说，教育的本质是社会生产力，更有人说，教育的本质即是生活。其他类似这样的见解，不一而足。这些理论之产生，究其根源，固由于这般学者在哲学上之立场之不同，而亦由于他们之无真知灼见，不能从复杂的现象之中发现教育之本质的关联。

谁都明白，教育是起于人类之实际生活的需要的。我们要正确地理解教育的本质，首先应说明教育为生活所必需的理由。在杜威的见解上，广义的教育乃是使得社会生活继续不断的方法。他在《民本主义与教育》中这样说着：

社会的分子有生有死，这是原无可避免的

事实，这件事就可决定教育的必需。在一方面，群内新生的分子（这群的唯一代表），是尚未成熟的，他与具有群内风俗知识的成人，彼此间是相差很远的。在别方面，未长成的分子，不但在形体方面应有适当数目的保存，并且应受教导把已经长成分子所有的兴趣、目的、知识、技能与习惯，都吸收进去。若果不然，这群的特色生活，就要中止了。就是在一种野蛮的种族里面，倘使纵任未成熟的分子自己去干，他们所能做的事也远不及成人的成绩。文明愈发达，未成熟分子的原有能力，与成人的标准与风俗，彼此相差愈远。如仅有形体的成长，仅能维持生计，还不能把这群的生活绵延下去。要想绵延一群的生活，还要有方针的努力与深思远虑的经营。那些新分子对于社会的目的习惯，不但毫无所觉，并且漠不关心。我们必须使得他们认识这种目的与习惯，并且必须使他们对于这种目的与习惯都有主动的兴趣。惟有教育能够补这缺憾。[1]

杜威还说：

> 教育所以不可少的缘故，就是因为生与死两件事。人类当生下来的时候，不能独立，必须倚靠他人，所以有赖于教育；死去的时候，把生前的一切经验和知识都丢了，后世子孙，倘要再去重头研究，岂非太不经济？甚至文化或可因此断绝。所以因为人类有死的一件事，也非有教育把他们的经验和知识传之子孙不可。[2]

关于教育为生活所必需的原因，杜威虽有所说明，但是，他的说明还不充分。因为如此，有再加以说明的必要。

人类的生活是和自然及社会分离不开的，而人类的

---

[1] 杜威：《民本主义与教育》。

[2] 杜威五大讲演《教育哲学》。

劳动生产，一方面为人类与外部自然之间所进行的物质交换过程，同时又为社会之存在的基础。所以，我们想要对于教育得着全般的，综合的说明与进一步的正确的理解，必须了解人类与自然、社会及劳动三方面的关联。在我个人的见解上，认为只有从这三方面说明了教育在人类生活上的作用与必要，那么，关于教育的本质才可明晰地把握着。

人类是自然史的产物，是有机世界最高发展的结果。所以，他是自然的一部分，是被统一在自然里面的。但是，在另一方面，自然又不断地作用于人类，而人类也反作用于自然，所以，人类又是和自然对立的。这就是说，人类与自然构成了对立物的统一。由达尔文确立了的进化学说，证明在有机世界中能适应自然环境的动物才能生存。人类同样是动物，自然也不能不受这个法则所支配。但是，人类适应自然的过程，却和其他的动物完全不同。动物适应环境的适应过程，它的唯一的方法，就是在改变它自身的机体和器官。不论何种动物，若是因为环境的改变有适应新的生活之必要时，则必用它的身体来反应自然界不顺适应的环境。比如说，热带的动物，如果迁移到了寒冷的地带，在这动物的身上每每会发生厚密的皮毛；反之，寒带动物迁移到了热带，它的皮毛每每也会逐渐减少。又如高等动物的肺，据生物学家的推论是从鱼类的浮囊转化而来的。原来鱼类的浮囊是鱼在水中专司浮沉的器官。因为在辽远的地质时代，因地壳的变化，海岸的某些部分渐次枯竭起来，终于在无雨的季节变成了沼泽，于是住在这种地方的鱼类，其中有一部分的个体具有最能适应环境的性质，它的浮囊的机能便开始变化，向呼吸空气的方向发展着，因此，那专司浮沉的器官终于转化而为呼吸空气的器官了。至于那些不善适应的鱼类，便为自然所淘汰而归于死灭，凡此诸例，都是说明动物是以自然的器官来适应自然的。

动物在生存竞争的过程中，既是以有机体的改变来适应新的环境，于是一切变化和演进，只能让自己来支配，只能屈伏于自然，因此，动物之适应自然乃是被动的，生理的，盲目的。

但是，人类的适应过程却与一切动物有根本的差异。人类没有动物那样的特性，他不是用他的身体适应各种生活条件。这就是说，人类虽然是构成动物界的一部分，但人类不和其他动物一样，单纯地受自然环境所支配，因而受单方面的淘汰。他已经发展到有支配和改变自然以适合自己的目的的力量了。人类的发展自从达到能够制造劳动手段的阶段时，他那种求生存的能力便显著地增加了，他便由屈伏于自然走到使自然屈伏于自己的境地了。当适应过程的时候，他不是像一般动物那样，改变他自身的天赋的器官，而是创造了或改进了各种的体外的器官，即劳动手段来征服自然或改变自然，借以满足他自己各种不同的要求。因此，关于人类，如果把他和自然的关系，仍然看作是生物学的适应，那就完全错误了。人类能够制造劳动手段这一件事，就是决定人类的发展形式与动物的发展形式根本不同之所在。动物的发展乃是自然淘汰的结果，它的发展形式，仅限于自然器官的变化，所以，动物的发展史，不出于自然史的范围。反之，人类是以自己创造历史的，他创造历史的基础，就是他制造劳动手段一事。劳动手段无限地发展，人类的历史也就不断地向前演进着。所以，人类的历史，就是人工器官的进化史。这正如普列哈诺夫

（Plekhanov）之所说：“自从人类使用工具以后，人类发展历史的形式就完全和动物不同了。最初，人类的历史和其他动物一样，是自然器官变化的历史。现在，人类的历史，已是改善人工器官与发展生产力的历史了。”[1]

总之，动物是以自身适应自然的，而人类是以自然适应自身的。如果我们认为动物是被自然所屈伏而后适应自然，那么，我们也可以说：人类是在使自然屈伏于自己以后，达到同样的目的和结果。所以，人类之适应自然，不是被动的，生理的，盲目的，而是自动的，技术的，理智的。

在人类社会进化的过程中，劳动手段愈是发达，致使人类的劳动更行复杂，并加强其效用，同时，人类的知识与经验也因之更加丰富地蓄积起来。由于人类的知识与经验的增加，而使人类对于自然的权力更加强化。因为人类要改变自然以适合自己的需要，从自然的奴隶得解放与自由，它的唯一的条件，必须认识自然，了解客观的必然。“自由是必然的认识”，“自由即是被认识

[1] 普列哈诺夫：《史的一元论》。

了的必然性”[1]。人类在认识自然的必然性以前，他是自然的奴隶，然而人类一旦认识自然的必然性以后，他就可以应用自然界的规律去支配自然。“自由并不是如一般所幻想的一样，存在于离开自然法则而独立这种事实之中，而是存在于这种法则的认识之中，且是存在于因这种认识而能在一定的计划之下运用这种法则为一定的目的而活动的可能性之中”[2]，所以，自由就是根据于自然的必然性的认识，它是历史发展的结果。这样说来，人类在生存竞争和征服自然的过程中，其所要求的，即在于自然之认识，要有认识而后有自由，正因为这样，所以人类必须从幼时即有所学习，借以承受前人的经验与认识自然的必然性，因而适应或控制自然。所以在人类生活上，教育便成为人生不可或离的重要因素了。但是，人类不仅生活于自然之中，而以自然为其环境，并且生活于人类所组成的社会之中，而以社会为其环境。

然则，自然环境与社会环境究有什么不同的地方呢？在这二者间，其主要的区别，即在于自然环境方面，

---

[1] 恩格斯：《反杜林论》。

[2] 见前书。

它是不需要人力而自行发展变化的。固然，在自然现象的转变中亦有时参加着人类的意志；并且随着技术的发展，人类对于自然现象的参与亦更是扩大，但是，从自然现象自身看来，它的运动和变化，是不直接需要人力之参加，而是由自然自身所发生出来的动力在那里起作用的。至于社会环境则不然，社会环境是人为环境，社会现象虽具有一定的规律性；但是，在社会现象的形成中必须通过人的意志作用。社会现象如没有人力的参加是不能成立的。在历史上，人们是行动着的，他们自觉地抱着某种目的。这就是自然现象与社会现象的主要差别点。"在自然中，如果把人类对自然的影响，置诸不论，那么，我们仅仅看到盲目的不自觉的力量，这些力量之交互作用，造成一切过程的总规律。可是，在社会的历史上，一切行动的力量，都具有意识，而且自觉地行动着。"[1]

概括地说，自然的发展是自然的，并不需要人类的协力；反之，人类社会的发展，则必须有赖于人力之参加。固然，人类历史的发展有它的一定的规律性之存在。

[1] 恩格斯:《费尔巴哈论》。

因为各种社会关系总是离开人的意识独立地存在着，人的意志终不能不受客观的社会关系以及存在于社会现象自身的规律性所决定，然而，在历史的过程中，人是唯一能动的积极的因子。“人是他们自己的戏剧的制作者兼表演者。”[1]这就是说明了人类历史的发展，参加了人类的力量，人是历史的实践的创造者。

市民的教育学者常常说，人生不外是继续努力以适应社会环境，也常常说，教育要研究个人适应社会环境的历程。依照他们这种见解，那么，个人对于社会环境，只是被动的适应，而没有丝毫主动的作用。他们不知道社会发展是进行于人类的最能动的参与之下的，所以，他们这种见解的错误，是完全用不着说明的。

因为社会的发展须假借人类的力量，所以，每一世代的人类都需要明白社会发展的规律性，理解个人与社会的关系，并获得推动社会与改进社会的知识，所以，教育更成为必要了。不仅如此，并且社会也是自然史的产物，是自然发展的结果，这就是说，社会是在有机界的一定发展阶段上发生的。社会的存在乃是以自然条件

[1] 卡尔:《哲学之贫困》。

为根据。它是依存于自然的，它是只有从自然探取对于人类有用的对象以求生存的。人类社会存在一天，它就必须从外部的自然界中吸取一部分物质资料，没有这样的吸取，人类社会便不能存在。社会与自然之间的物质交换过程，即是劳动过程。“劳动首先是人类与自然间的一个过程，是人类以自己的行为来媒介，调节，并统制他与自然间的物质代谢的一个过程。人类是当作一个自然力而与自然物相对立的。他因为要以能够适用于自己生活的形态占有自然物，就运用属于他肉体的种种自然力，即腕和脚，头和手。他从这种运动而作用于他的外部的自然，并且变化它，同时又变化他自己的性质。”[1]在人类的物质生活过程中，劳动是一种最基本的形态，“它是一种全人类生活的第一根本条件”[2]。人类因劳动过程的发展，不断与自然物发生关系，产生生产行为，促进人类社会与自然之间的物质代谢的过程，同时，人类又因劳动过程的发展不断增进社会的物质生产力并改变社会的物质生产关系，因之，劳动生产构成

[1]《资本论》，第一卷。

[2] 恩格斯:《劳动在猿向人类进化中的意义》。

为人类的物质的经济生活之全过程，成为社会生活的基础。我们可以说：社会生活的过程不外就是物质的生产过程，经过劳动生产的过程，自然的产物就转成社会的物质。经过劳动的物质的过程始能建立起人类社会或人类文化与自然的联系。劳动的物质的过程，成为社会发展与文化发展的基础。动物的生活资料完全受自然产物的供给，而人类的生活资料则大部分依赖人类自己去生产，人类要从事劳动生产，决非孤立的个人所能完成，因此，他就必须形成社会组织。整个的社会就是生产的组织，就是生产的有机体。社会发展之历史过程完全以人类的生产能力为推动的机纽。一般地说来，生产愈发展，社会便愈向前演进，这是人类历史的因果法则。

这样，我们很显然地可以看到，社会的总体和全部文化的基础是在于人与自然斗争的物质的过程，是在于劳动的物质的过程。因为这样，所以，关于生产技术与劳动知识的传授便成为人类教育的方式了。

在以上的论究中，关于人类为什么需要教育的原因，我们既已指明出来了。综合起来说，就是：（一）人类生活于自然环境之中，自然界的力量常能影响于人类，所以，在人类生活上的要求，便是认识自然。（二）人不仅生活于自然中，并且生活于人为的社会环境中。社会中的一切，都有赖于人力之参加，所以，人类有需要推动社会与改进社会的知识。（三）人类要求生存，必须向自然界取得物质的生活资料。劳动生产愈进步，社会的物质文明便愈能向前发展，所以，在人类生活上又有获得劳动知识的必要。人类因为有了这三个急切的要求，所以，人类的教育便因之而出现了。

在这个综合的说明之下，我们便可从繁复错综的教育现象之中，洞见它的本质。然则教育的本质究竟是什么呢？我们可以肯定地回答：它是一种促进人类与自然、社会，以及劳动诸方面之关系的工具。为使读者更加明了起见，我们还可以这样解释着：即教育乃是以自然现象，劳动现象，及社会现象为其基本的范畴，由教育者指导被教育者研究自然的、劳动的，及社会的诸现象之实际的知识及其相互间的关系，使被教育者获得在自然环境与社会环境中工作的能力，借以征服自然，扩大生产，改进社会，而谋人群之进化的工具。

上面这一个解说，在我们看来，不能不承认它是客观的，合乎科学的。

三　教育的变质

教育的本质，我们既已论究过了。但是，教育的形式与内容并不是永恒不变的。各个时代的教育莫不依存于社会的组织，社会的发展，就其整个的结构系统而论，它是全般地关联着的。各种教育制度或各种教育形态是产生于一定的经济的或生产的关系的基础上的上层建筑物，它的形式与内容是和物质的生产力之一定发展阶段相适应的。经济的或生产的关系经常在变化着，所以，教育的上层建筑物不得不随之而变化。这是在教育的研究上一个最基本的原则，用不着详细说明的。

这个原则，可以拿教育的历史来证明。

教育的实践，可以远溯到人类的原始时代。当时的教育，完全是适应种族保存之需要而产生的，它的目的，纯是生物学的。在原始时代的社会里，所有原始的生产劳动都是共同经营的，而其获得的物品也是共同消费的，这种共同劳动与共同消费的习尚简直成了当时社会制度的中心原理。当时的人类以为劳动是当然的事，绝对不含有任何强制的性质。那时的人类是平等的，无阶级之分的，而教育也是平等的，无阶级之分的。

原始时代的教育既是适应种族保存之需要而产生的社会事业，从而于生产上成为绝对必要的劳动与教育，也自然保存着不可分离的关系，在原始时代的社会里，社会的成员，对于种族中的儿童授以语言和劳动技术，讲述种族中的神话与传说，以及他们关于自然的认识。儿童一面参加各种生产劳动，一面受成人的指导，随时随地学习关于劳动的知识与技能，所以，劳动与教育是完全结合的。当时的人类，一方面继承前代所授与的精神的及物质的遗产从事于生产劳动，同时又将他们在劳动过程中所获得的新的经验与知识再传授给后代。所以，在这个时代，人类所有的知识与技能，正如他们的生产物一样，是人人共享的，而且是和劳动相联系的，我们可以说原始时代的教育是以自然、社会、劳动三者为中心。这种教育最能表现出它的固有的特质。

然而，自人类社会发展而达到所谓文明的阶段，私有财产制度发生，社会阶层形成以后，于是，人类的生活，发生了根本的变异。“人类在原始社会所有的平等友爱与协作只成为神话上的名词”[1]，从而，人类的教育，也就改变了它的姿态。

原始社会里面的教育，虽是和生活分离不开的，然而，当时的教育，大抵都是散漫的，偶然的，无意识的，无系统的。“在不发达的社会里面，很少正式的教导与训练。野蛮的社会大半靠着团体生活去灌输幼年人以必须的倾向。成人需要何团体去维系他们事群的忠心，即幼年人需要何团体生活以资观感。除了收纳青年做团体中完全分子时所用的仪式而外，他们并没有特别的方法，材料，或制度，用来施行教育。儿童大半靠着参与成人所做的事去学习些成人的风俗，获得他们全部的感情和观念的模样。这种参与有一部分是直接的，就是参与成人的职业，做一个学徒；有一部分是间接的，是好像戏剧的扮演作用，儿童效法成人的动作，由此学得成人的榜样，依野蛮人看来，找出一个地方，专备人学习之用，除学习之外无所事事，似乎是一件荒谬的事

[1]《教育史 ABC》。

情。”[1]实在说来，原始时代的教育之基础，差不多全部建筑在儿童的模仿性的上面。儿童在生活上所需要的知识，如渔猎、畜牧、耕种、跳舞、歌曲等等，只要他们参与实际的生活，都能于不知不觉之间，靠着模仿社会成员的行为，就得到了。所以，在原始社会中的教育，与其说社会的成员，依据一定的目的来教育集团中或氏族中的儿童，毋宁说当时的儿童全靠儿童模仿成人的动作，参加成人的活动，因而获得成人的经验与社会中的初步的文化。原始社会的教育，虽然在形式上表现出一种原始单纯性，但是，在内容上，却是合乎实际的，富有生气的。

不过，这种原始的教育形态，在事实上，当然不能适应复杂的社会环境之需要，因为这样，所以，当文明逐渐增高时，社会生活更为复杂，个人在社会中所需要的知识与技能，因而增多，儿童要靠着直接参与成人的事业去学习，渐渐感觉困难起来。在这个情境之下，于是一般所说的形式教育（Formal Education）便继之而起。

社会愈进化，知识愈丰富，教育的内容亦随之而愈

[1] 杜威：《民本主义与教育》。

趋于复杂。故教育上的实际设施，愈由散漫的，进于具体的，愈由无意识的，进于有意识的。同时教育现象或教育形态便愈受社会制度与社会组织所制约。

一般地来说，一切社会的隶属关系，都基于社会阶层间之经济的隶属而发生。自从人类的历史进入于所谓文明期，社会便分裂为支配者群与被支配者群两个对立的阶层。在经济生活上，后者被前者所剥削，而前者则运用政治上与经济上优越的力量来剥削后者，用以构成他们享乐的生活。从这个时候起，支配者群就脱离了生产劳动的组织，他们鄙视肉体劳动，把从事于精神活动当作自己的特权。这样，教育就成为他们的专有品。反之，被支配者群的生活条件既然陷于悲惨的境遇之中，自然得不着受教育的机会，他们只是一味从事劳动，这样，肉体劳动，也就成为被支配阶层的专业了。从此，肉体劳动与精神劳动就被分离开来了。也就是说，劳动与教育被分离开来了。

在肉体劳动与精神劳动分离的社会中，劳动的被支配者群，纵令具有优越的遗传质素，也很少有发展的可能，因之，他们不能够独立地以自己的力量来完成自己所属的集团的意识形态。反之，那些从肉体劳动游离出来的分子，他们不是支配者群的成员，便是其雇佣人，因此，支配者群在他那时代的意识形态上总是刻印着自己的标志，表示出自己的需要和愿望。

从古代的奴隶社会进而至于中古时代的封建社会，再进而至于近代的市民社会，在全部的历史过程中，都能给予我们在上面所叙述的事实以充分的证明。

不待说，在此时期的教育，自然不能实现传授自然、社会与劳动之实现的知识给予全人类的机能。

说到这里，我们可以肯定地说：自人类进入于一般所说的文明期历史以来的教育现象，乃是变质而不是本质，乃是变态，而不是常态。

然而，社会的发展决不停留在任何一个阶段。人类过去的历史，只可说是人类社会的前史，但是，到了现在，这种前史已经接近了它的最后的一页。人类真正的历史正在开始描写，以前建立于阶级矛盾之上的社会将为一个合乎正义，平等的社会所代替。“因生产手段转入社会的掌握中，商品生产以及生产物对于生产者的统治，也便同时归于消灭。社会生产中的无政府状态，为有计划的自觉的组织所代替。个人的生存竞争因而停止了。只在那时，人方在某种意义上，最后脱离了动物界。只在那时，人方从动物之生存条件，转移到真正的人的生存条件。以前一切循绕着人，统治着人的生存条件，现在就处在人的支配之下了；人类至此才开始成为自然界的自觉的及真正的主人翁，因为他们已经成了自己社会结合的主人翁。他们自己行动的法则，直到现在都是与他们相对立，而成一种外来的统治于他们之上的自然法则；这种社会行动的法则，现在已为人们所完全理解而加以应用，因之也就处在他们的统治之下了。人类自身的社会结合直到现在都是与他们相对立，好像是自然及历史所强制形成的东西，这种社会结合，现在变成了他们的自由行动。从来统治于历史中的客观的及外来的力量，现屈服于人的统治之下了。只从这时起，人们方才完全地自己创造自己的历史，他们所运行的历史因素，也将以日益增加的程度，给以他们所希望的结果。这将是人类由必然的王国进于自由的王国之飞跃。”[1]

在这种更高级形态的社会里，人类的教育必定以一

[1] 恩格斯:《反杜林论》。

个新形态而出现。然则这种教育的特质又是怎样呢？我们可以毫不迟疑地说：它是能在高级的发展的形态上彻底地表现出教育的固有的本质的。在这样的社会里，人类与自然之间所行的物质交换过程，不再为一种盲目的所支配，而是被以合理的统治的。在这样的社会里，"旧的生产方式，应该彻底地被改变，特别是旧的分工应该消灭。代之而起的，应该是这样的生产组织：使在一方面，谁都不能把自己在生产劳动中，即在人类生存自然条件中，所应参加的部分，推到别人身上；他方面，生产劳动供给每个人以多方面地发展并应用自己的一切体力及智力之可能，它不再是奴役人的手段，而是解放人类的手段，因此生产劳动从一种重负，变成一种快乐"[1]。那时人类生活的中心，是劳动，是教育，所以教育的组织和生产的组织是紧密地结合着的。人类在教育中劳动，在劳动中教育，从前劳动与教育分离的现象，到了这时，乃在更高级的形式上复被综合。

[1] 恩格斯：《反杜林论》。

第八章　教育目的论

一　教育的可能性

在本章里，我们所要论究的问题，就是（一）教育的可能性，（二）教育的过程，以及（三）教育的目的。因为这三个问题，在实际上，是互相关联的，现在且先说明教育的可能性问题。

教育的现象，我们在前面曾经说过，它是发生于原始时代，所以，教育的可能性，可以说是数千年来既经证明的事实，无论是谁都是不会怀疑的，但是，教育怎样可能呢？关于这个问题的解答，在教育学者之间却有两个相反的主张：一为本能派的教育观，本能派的教育学说，即在认识人类具有各种先天的内容的本能，教育的任务不过只是适应本能使之发展而已，在本能派的教育学者看来，教育的可能性无非是因为人类具有各种先天的本能，否则，便成为不可能了；其他之一则为理性派的教育观。理性派的学者与教育家以为人类具有自然性与理性二种因素，自然性是盲目的，只有理性始有价值与意义，因为人类具有理性，所以可教育。动物无理性，所以无文化生活。理性就是人与动物区别的鸿沟。这两派学说，直到现在，教育思想上，依然有颠扑不破的势力。因此，我们对于这两派学说有严正检讨之必要。

先论及本能派。

我们要讨论本能派的教育学说之理论的根据，必须先检讨本能有无的问题，我们要讨论本能有无的问题，更必须先检讨后天的获得性是否遗传的问题。

在生物学上对于后天的获得性之遗传的问题，历来有两个不同的主张：有一派的生物学者认定生物的一切获得性概不能遗传，而所遗传的只是先天的特性。另有一派的生物学家则恰好相反，他们以为后天的获得性，在某种条件之下，也和先天的特性一样，可以遗传。

在我们看来，前一派的主张是错误的。因为他们忽略了环境的作用。照有机生命的进化学说来，生物的演进和其新种之出现乃是由于自然环境不断地变化所促成的结果。一切生物都是处在复杂的自然环境之中。自然环境是不断地变化的，自然环境每起一次变化都会引起一部分的生物改变它的机体的组织和生理的机能。凡善于适应环境的生物种属便能继续生存下去，那些不适应于环境变化的生物种属只有归于消灭。这就生物进化的法则来说，就是所谓自然选择。自然对于生物加以选择作用，而生物对于自然环境则起一种适应的变化。生物和它的环境之间，不断地发生着矛盾，而生物自身也就不断地发生着适应的变化，同时，生物的组织和机能也就不断地发展，在适应环境的过程中，生物所获得的优良的特质，因为重复的遗传关系而被固定起来，这样生物对于环境的适应时所引起的新的特质的形成，以及那些特质的遗传，便产生了新的有机体的形成。各种变更的长期累积的过程引起了新生命形式之突然出现。

这样说来，生物的变化乃是自然环境的变化所引起的自然选择的结果；同时又是生物继续将它在适应过程中所起的变异遗传下来的结果。这就是说，在进化的原理上，是承认后天的获得性的遗传的，因为这样，所以如果否认了后天的获得性的遗传，就无异否认了生物的进化。并且所谓先天性和后天性，亦不曾有绝对的区别，而是对立的统一物。在实际上，一般所说的先天性乃是后天性累积而来的；同时后天的获得性又是构成先天的特性的因素。前一世代的后天性便是后一世代的先天性，而后一世代的后天性又是再后一代的先天性，因为生物的某种特殊的形质，就其获得的当代而言，是后天的。但这种获得的形质，在一定的条件之下而被遗传于后一代，即成为先天的。先天性既能遗传，则后天性也必能遗传。如果生物已经变异的形态不能保守，传之于子孙，则生物之进化的历程便无从说明。

因为这样，所以，我们认定人类及其他动物不仅有先天的遗传性，而且后天的获得性也是可以遗传的。有遗传就有本能，所谓本能，不外就是后天获得性转变而成。所以获得性与本能，也不是有绝对的区别的。每世代的生物，除了直接继承其以前诸世代所遗传下来的本能而外，还要把它自己在适应环境的过程中所获得的新成分加入进去再遗传于其子代。既是如此，所以，本能不是生物所固有的，乃是生物体对于环境的适应运动的结果。在实际上，本能只是由生理的系统及器官所赋予机械的力，而不含有预定的内容，是一种可能，而不是结果。并且，本能是具有可塑性的，它是能随环境的改变而改变的。有许多生物学家、遗传学家、优生学家、心理学家与生理学家，把本能看作属于绝对的先天性，坚持着本能的不可变性，这确是一个很大的错误。

动物之有本能以及人类之有本能的动作，已为生物学家、遗传学家、优生学家、心理学家与生理学家之观察与实验所肯定，我们不会如少数行为学派的心理学者那样武断的态度，否认本能的存在。

但是，在另一方面，我们对于现在流行的本能说，也不能予以同意。我们认为现在流行的本能说和唯心论的哲学家所主张的先天观念说是同样的玄学的观点。现在一般主张本能说的学者以为本能是一切行为的支配者，决定者，本能成为一切行为的源泉。在他们看来，人类的一切活动都是一种先天的固定的遗传根据。“本能命定一切”几乎成了这般学者所共通的根本观念。他们本着主观的成见，对于任何一种行为都要加上一个本能的名称。例如詹姆士（James）对于本能的分类，列出了许多种，他以为人类先天就具有模仿、妒忌、竞争、畏惧、同情、害羞、社交、游戏、好奇、搜集、狩猎、谦卑、性爱、攀援、斗争、愤怒、怨恨、盗窃、建设、清洁、羞耻诸本能。又如桑戴克（Thorndike）所列举的本能的种类，有猎取、求得、占有、搜集、蓄藏、居住、迁徙、争斗、爱护、群居、社会、模仿、把弄、贪食、仁慈、游戏、凌虐、威吓、清洁、装饰、好奇、戏弄诸本能。依据这般学者的意见，几乎人类的一种动作都受一种先天的本能支配着，这种本能不只是由生理的系统及器官所赋予的一种能力，而且有预定的具体的内容。

这般学者把他们所不了解的人类行为，毫不怀疑地都用本能之说来解释，这正如十八世纪的一部分学者将不能了解的人类行为，用人性之说来解释一样是没有科学的根据的。

这般主张本能说的学者，因其利用本能的观念来做人类行为的最终的解释，因其承认本能有具体的内容，所以，他们在教育学上便主张适应本能与发展本能的教育学说，而形成一种玄妙莫测的理论基础了。

其次，再论及理性派。

理性派的教育学说，是康德哲学或新康德哲学的演绎。这派的代表人物，有马堡学派（Maiburgschool）的那笃尔普（Natorp）及柯享（Cohen），及西南学派（Sudwestdeutsche）的柯恩（Cohn）及赫伯林（Haberlin）等等。马堡学派与西南学派是属于新康德主义的二大学派，新康德派站在康德的观念论的立场，把康德哲学更加向着观念论发展。“康德哲学之基本的特征，在于调和唯物论与观念论，在于把两种不同的对立的哲学倾向结合于一个体系之中。”[1]依照康德的见解，“所谓‘物本体’的某一世界是存在着。‘物本体’用某种方法，作用于我们意识，但对于‘物本体’的世界，我们怎么也不知道，并且不能知道。‘物本体’是不能认识的。只有现象，只是在我们感觉器官上给予我们的经验，是能够认识的。但我们的认识形式，不依存于经验，反而经验依存于认识形式。我们的认识形式，在经验以前存在。或如康德所说，它是先验的。我们的知识，就依存于它的活动，它的动作。照这样，我们的知识可以说是感觉与感觉的认识形式的结合。时间与空间都是一切感

[1] 邬里雅诺夫:《唯物论与经验批判论》。

性的知觉之先验的形式。何以言之？因为康德说，时间空间不依存于经验，而是一切感性的知觉之必须条件。论理学的范畴，质、量、因果性、目的等等，在康德看来，都是构成科学的认识之必须条件那种论理的认识之先验的形式”[1]。

康德一面承认客观现实的存在，一面又揭出客观现实之不可认识的主张。康德哲学的不彻底性以及它所包含的不可调和的矛盾性即由于此。“当康德承认我们之外的某种事物，即某种物体照应于我们的表象时，他是唯物论者。当他宣称这个物本体是不能认识的，是超越的，彼岸的，那时康德便是观念论者。”[2]

在认识过程中，康德把主体和客体相分离，把认识和现实世界相分离，把物本体和现象分离，把认识的形式和它的内容相分离，所以他终于不可避免达到不可知论的结论。

这样说来，康德的认识论，是形而上学的，是二元的。

---

[1] 西洛可夫等:《辩证法唯物论教程》。

[2]《唯物论与经验批判论》。

新康德派，一方面把康德的不彻底的主观观念论，转变而为彻底的主观观念论，并且在这种哲学的观点上建立起教育学，他们基于二元论的见解，将人性分为理性与自然性两方面，根据新康德派的见地，人类的真理知识的基本原素，是人的理性。我们认识外界事性，即由于理性作用，这种理性认识能力，在我们是与生俱来的东西，是一种先天的所有物，它具有普遍的，必然的，永久的性质，所以凡属正确的，完全的，有普遍性的知识，都为理性之所产，而自然性则是后天的，是以感觉经验为根据的，它为一切虚妄错误的根源，因此由感觉得来的知识，只是偶然的，个别的，暂时的，没有普遍的正确性。

新康德派从这个见地出发，所以他们认为自然性，应由理性统治与陶冶，教育的作用，即在使人类自然性之理性化，因此这派学者对于教育的中心理论，即在于运用教育的力量发展儿童天赋的理性，征服其自然性，并且他们认为教育之所以可能，实由人类具有理性。

然则理性派之所谓理性，究竟是什么呢？一句话可以答复明白，这是一种不可思议的神秘之物。

我们在前面曾经认过人是自然的产物，同时又是社会关系的产物，他和其他一切动物相比较，原有质量的根本差异。可是人和其他动物差异之所在，不是因为人是有理性的动物，而是因为人类是能制造劳动手段的动物，人类因为能制造劳动手段，从而人类的经验便逐渐增大，人类的理智便能向前发展，所以理智不是人类发展的原始要素，而是劳动的产物，依据恩格斯人类的性质特别表现于劳动之中，表现于人类劳动活动之中。

因为这样，所以我们只看到人类由技术的进步所促成的知识的进步，始终也看不出那种具有神秘性的理性，纵令我们承认有所谓理性，它应该是思维之概念，活动的能力，人类的思维的能力，看起来好像超感觉的东西，其实不过是物质的一个特性，一个机能。

> 我们的意识与思维，尽管怎样好像是超感觉的东西，而不外是一种物质的，肉体的器官即头脑的产物，物质不是精神的产物，反而精神那种东西只是物质的最高产物。[1]

[1] 恩格斯:《费尔巴哈论》。

至于概念乃是从感性的经验发生的，概念是把认识主体在感觉或知觉的实现过程中所得的材料，加以改造，加以普遍化的东西。所以概念乃是对象的真相，即离开我们意识独立显现的过程的模写。

如果我们从这一见地去理解理性派的教育学者所说的理性，则理性并不是超感觉，超物质的东西，它应该与感觉相关联，而不能与感觉相分离，它仍然是从后天的经验累积而成的。

从此，可以见出理性派所主张的人类的教育，在于“固有理性的发挥”和“先经验的理性的发展”，完全是唯心主义在那里作祟，而是为科学所不容许的。

根据以上之所论述，我们便可结论式地说：教育的可能性既不是由于人有各种先天的具体的内容的本能，如本能派之所主张；也不是由于人具有先验的理性，如理性派之所主张。然则教育的可能性究竟在什么地方呢?

人类的本质并不是超自然的灵物，构成人类之物质的基础与其他有机界的物种都系出于同一的根源。不过，它是自然界物质之比较高级发展的种属而已。

> 吾以为虽以人类所有高贵之美德，对于最堕落者皆有同情心，其仁爱不但及于他人，且推及最微贱的生物，其似神圣之智慧，且将太阳系之组织与其运行之秘密，皆窥破之，虽以如此伟大之能力，吾人尚须承认人体中犹禀赋有其低下来源不可湔伐之踪象焉。[1]

人类的物质机体，固然是由物质在进化过程中以复杂的形式组合而成的；就是人类的精神能力亦复如此。

物质和能力是不能分离的，一有了物质便必然有能力的存在。而能力亦必然附丽于物质，物质的能力，在复杂的组织形式之下，遂亦随物质基础的复杂程度而变质为最高的表现。

人类的物质体，依于长期演进的作用，组合而成极端复杂和构造微妙的机体，遂表现出为其他动物所不能比拟的精神能力。

在有机生命的演进过程中，"使个体之全部以致各部分工之机体，或器官之能与力，一级比一级增加起来，

---

[1] 达尔文:《人类之原始》。

而生物之生命能力之总和的价值，亦一级比一级的提高起来。由低等至高等之生物的精神生活便适应这一物质之进步同时进步，高等生物以致人类之各种智慧的精神能力，即由此启发起来”[1]。不过，人类的自然的器官比任何其他动物完备，因而对外界之感受也最强，尤其是他的神经系统的组织特别复杂，所以他的心理状态，也就高出于一切动物。

人类因为有特别复杂和发达的精神能力的物质基础，所以他能将感觉的材料构成表象，再把表象加以人工的抽象构成观念和概念而判断而推理而形成思维过程，自然世界的物质活动所构成的实体和其现象，成为人类的感觉和思维的对象，人类则由主观的物质器官的活动而构成具体的知识，人类因而有比较完成的生理构造以及高等发达的精神能力，他在这里就获得教育的可能性了。

这样看来，人类有被教育之可能，完全是建筑在他生理的和心理的物质基础上的，绝不是基于某种先验的，玄学的不知其来源的神秘之物。只有这样去理解，

[1] 刘敏：《人类学体系》。

才能对于人类的被教育的可能性的问题给予唯一科学的解答。

本能派的教育观与理性派教育观之不合理为科学之所不容自是显而易见了。

二　教育的过程

关于教育的过程，在教育学者之间有许多不同的见解，就其主要者言之，则有如下所示诸说：

（一）把教育看作生活准备的过程　依照主张此说者看来，教育乃是未来生活准备的过程。他们以为："儿童所要预备的东西，自然是成人生活里的种种责任与权利。儿童在社会里面不算是圆满而有通常位置的分子，儿童只算为候补人，他们只列在存记的名单里面。"[1]这就是说他们把儿童时代看作成人时代的准备，把儿童生活看作成人生活的准备，因此把儿童的教育看作未来生活的准备，他们不知道："一个人在一时代的生活与他在别一时代的生活，都是同样真确的，同样积极的，这

[1] 杜威：《民本主义与教育》，第五章。

两个时代生活的内容都是一样的充实，都是一样的重要。”[1]如果把教育建筑在这个理论基础上面，便会产生与之相适应的恶果：（A）把成人所预期的结果当作儿童的标准，因而忽略了儿童所固有的种种特别的能力；（B）因为重视将来而抹煞现在，势必丧失儿童现实生活中各种学习的动机，而徒依赖于外铄的动机，从而减少了学习的效能；（C）因为预期的将来与儿童现实生活相隔离，所以不能养成主动的能力使儿童能够随时随地控制新的环境应用于新的目的。

固然，在生活继续发展的过程中，预备的需要当然也是很重要的，但是，为着要使将来的生活更有意义与价值，我们就要充分利用儿童当前的需要与可能的动机，使得他的经验尽量丰富，他的生活尽量有意义，这样，“现在既于不知不觉中参加入将来，将来也同时顾到了”[2]。

（二）把教育看作已往文化复演的过程　主张此说的人是想采用生物发生的原理来理解教育的过程，这

---

[1] 杜威：《民本主义与教育》，第四章。

[2] 见前书，第五章。

一派学者的论点认为个人所以能有适当的发展是在依照一定的次序复演动物生活与人类历史进化的历程，前一种复演是在生理上发生，后一种复演则表现于心理状态上。教育的过程即是复演已往的文化过程，这一个主张是以生物学上的“复演说”（Theory of Recapitulation）作为它的理论根据的，这个复演的原理，最初为梅列（Mueller）所提出，后来为天才的生物学家赫克尔（Haeckel）所发展。这个为赫克尔所形成的假说，就是个体发展（Ontogeny）是种族发展（Phylogeny）之复演，赫克尔把他的复演说名为“生物发展根本法则”。他认为每一个有机体从单细胞的原生物到腔肠动物，再上去到脊椎动物，在其个体发展的期间都由一种遗传作用，再现其祖先历史之一部。

赫克尔在其所著之《一般形态学》的第二十章里极力阐明个体发展与种族发展，二者间之密切的因果关系。在他看来，个体发展乃是种族发展之一个局部发展的，简略的反复，是由遗传和适应的法则而决定的。“遗传使某种进化上的要点再现适应以环境的状态，使这些要点生变化。”[1]

证明这个学说的许多事实，曾被发现。例如人类婴儿由胚胎生长起来，在其发展期间，经过了低级生命形式的生活所具有的几种特性。就是胎儿之第一期，类似于鱼类的形态，具有鳃孔；第二期，类似于爬虫类的形态，具有尾巴；第三期，类似于哺乳类胎形；最后则类似于猿类胎形。这种发育阶段，就是证明人类的胚胎，从原生动物起，依次经过鱼类，爬虫类，哺乳类这样的程序，最后则成为一个具备人类形态的胎儿。不过，人类的进化，经过了悠久的岁月，而胎儿之发育，时间极为短促，所以，人类在胎儿时代重演人类进化的历史，自不能不失掉全部历史中的若干章节，且因环境的状态发生了变化，所以，在那些被保存了的章节中，也不能不有多少的变更。这正如赫克尔之所说：“个体发生是种族发展的一个短而且速的概约反复。”[2]

这种事实，在信守这种理论的人看来，不仅在生理方面是如此，就是在心理方面也是如此。人类在胎儿时

[1] 赫克尔（Haeckel）：《生命之不可思议》。

[2] 见前书。

代的精神作用，是极原始的，这时只不过有极原始的感觉。到了诞生以后，因感觉器官和神经系统的发达，而心理能力也随着发达起来。因此，有一部分学者这样主张着：人类从产生后到成熟期，在心理状态上，是重演他的祖先从原人渐次达于文明期的精神史或文化史的。

自从赫克尔倡导“复演说”以后，不单是影响于生物科学，而且影响于儿童学，心理学，以及教育诸科学。

美国优秀的心理学家兼教育学家霍尔（Hall）是拥护“复演说”最坚决与最卓著的一人。他就是拿复演的原理，广泛地用以解释人类身心两方面之发展过程的。他曾经这样说着：“我们复演着我们祖先的行动，虽然我们不知道退回去怎样远；并且以简约的，概略的形式，反复他们的生活工作。这是我们祖先血统遗传的记忆，虽然无意识的。每一种工作形式就是对于别一种工作形式的解说。促起这种生活工作的精神动机的冲动，就是我们祖先所传给我们的习惯行动的形式。这样，我们一段一段地重新制定他们的生活。”[1]

在欧美的心理学者和教育学者中，追随霍尔之后

[1] 霍尔：《青年研究》。

的，则有贾德（Judd），波尔德文（Baldwin），达威逊（Davidson）和布朗斯基（Blonsky）等，他们都采用复演说的原理，作为他们理论之根据。在这种理论的支持者中间，都有一种共同的见地，就是他们认为儿童在某时期里面，他们的生活是复演人类文化史中某一阶段的人类祖先的生活的，所以，在这个时期儿童所用的教材，也应该和这一时期相适应。经过了这个时期之后，儿童的生活，又达到与人类文化史中依次前进的另一时代，这一时期的教育，也应该采用和这一时期相应的教材。如像赫卿森（Wood-Huthinson）把人类文化史，划分为五个时期：第一期以土地的挖掘和整理为特征；第二期以狩猎捕捉和战争为特征；第三期以牧场的活动，家畜的饲养，以及住所的建筑为特征；第四期以农耕和园艺为特征；而第五期以商业和贸易为特征。他并且指示出：在个人发展中，第一期包括幼儿至五岁；第二期为五岁至十二岁；第三期为九岁至十四岁；第四期为十二岁至十六岁；第五期为十四岁至四十岁。

霍尔及霍尔一派的学者所持的这种见解是没有充分的真实性的。固然，在个体发生与种族发生之间，依据胎生学家所提供的事实，我们不能不承认有多少之关联，但是，如果我们在不能充分明了地解释赫克尔的论点以前，就毫无批判地承认“复演说”之为真理，这未免是一种轻率的态度。人类社会之发展进化的过程，虽然可以划分为若干阶段，但是各个阶段的特色是否影响于人类的身心之发展，换言之，就是人类的心理状态和生理状态是否适应各个进化阶段的特色，这确是一个疑问。如果把儿童的活动以及学校的课业，完全建立在这个阶段之上，这样的态度，是不合乎科学的。

关于这个事实，俄国著名的心理学家科尼诺夫（Kornilov）曾这样说着：“无疑地，在个体发展与种族发展之间有着关联存在，但由此便引出结论，认为儿童在成长过程中是继续地经过种族进化的各阶段，这不过是类推所得的结论，是一切结论当中最缺少精确性的。而且这还证明，纵令生物复演的法则，具有理论上的意义，但若由此引出儿童教育的实践的结论，则不免是轻率的极点了。”[1]

此外杜威也很正确地说着：“就教育方面讲，儿童

[1] 引用品凯微支在《苏俄新教育》中所引科尼诺夫的文句。

未长成的状态所以有很大的利益，就是使得我们能够解放他们，使他们不再蹈已往的覆辙。教育的职能是要使得儿童不必再蹈已往的覆辙，不是要使儿童反去复演已往的事情。儿童的环境是文明人的思想的习惯与感情的习惯所发生的行为所构成的。如果忽略这个现今的环境对于儿童的指导势力，便是舍弃教育的功用。”[1]

这样看来，把生物复演的法则来理解教育之过程，这个理论的支持者所凭借的生物学的基础，显然是错误的。

（三）把教育看作生长的过程　提出这个主张的，就是杜威，这是用不着说明的。生长的观念，即在主张教育的过程是经验继续不断地重新组织，重新构造，重新形成的过程。杜威在《民本主义与教育》中对于旧日的各种教育学说：如（一）生活准备作用之教育说，（二）开展作用之教育说，（三）形式的陶冶作用之教育说，（四）心意形成作用之教育说，（五）已往的文化的复演作用之教育说，都分别给以批判。杜威认为这些教育学说之共通缺陷，即在对于生长概念之不彻底，或表

[1] 杜威：《民本主义与教育》，第六章。

面虽用生长为原理，而其意义或不明了，或有错误。所以他提出一种“教育即生长”的新教育学说来与各种旧的教育学说相对立。在杜威看来生活的本质即生长（Growth），无论个人的生活，抑不论社会的生活，其本质都为生长，因而教育的本质亦为生长。生活的过程，即自己发展的过程，“生活即是发展；发展，生长，即是生活”[1]。教育的作用，就是要使儿童所具有的种种能力继续不断地发展，所以，教育即生长，换言之，教育即生活，再换言之，生活的过程即教育。我们要彻底地理解杜威的教育学说，首先要了解杜威所说的“生活”的意义。拿杜威自己的话来说，“生活的本质，就是要努力使他自己继续不断地存在。因为要常常自新，才能这样继续不断，所以，所谓生活，即是一种自新的过程”[2]。其次，杜威所说的“生长”我们也应该一为究明。根据杜威的见地，生长为积极的能力逐渐向前发展的运动，生长以可塑性为其主要的因素。所谓“可塑性是一种能力，想保持并且提用过去经验里面能够改变后来活

[1] 杜威:《民本主义与教育》，第四章。

[2] 见前书，第一章。

动的种种因素。这就是说，可塑性是获得习惯和一定倾向的能力”[1]。教育的作用是在于养成能使生长继续进行的能力。

综合起来说，生活是一种自新的过程，生长是指着天赋能力向前发展的过程。不论在儿童时代，青年时代或成人时代，凡是有了生活，就已经有了积极的活动，由此构成他的新的经验，而这种新的经验又指导他所有的种种能力，使这种能力继续不断地发展。教育的作用就是要使经验的意义增加，要使指挥后来经验的能力增加。因为这个缘故，所以，教育的过程即是经验的改造或重新组织的过程。

杜威从这个论点出发，他认为教育无时没有一种当前的目的，只要我们的活动能有教育功用，这种活动就能达到改造经验的目的。

杜威根据他的理论，便主张教育的过程，应以被教育者的生活与被教育者的经验为起点，主张通过生活而施行教育。杜威曾经这样说着：“我们要使人能从生活中学习，并把生活的条件造成一种境界，使人人一面生

[1] 杜威：《民本主义与教育》，第四章。

活，一面学习。”[1]在杜威所提示这个原则之下，便可把教育与生活分离的种种弊害一一为之克服了，固然，就教育与生活的联系性来说，杜威的主张是完全正确的。但是，杜威认为教育的过程，仅仅限于经验的改造或重新组织，这种主张我们却不能完全同意，这是因为他的说明不能概括教育的全过程中所包含的内容；同时又缺少教育的积极的意义，在这里杜威的实用主义的立场完全被反映出来。依据品凯微支的意见，在教育的全过程中，包含着养育（Nurture）与陶冶（Instruction）两个要素；前者包括被教育者在生理上所天赋的能力之成长和发展；后者系关乎被教育者各种态度的形成，品性的陶铸，以及人生哲学的创立。品凯微支关于教育过程这一新的解释，一面给予教育过程以丰富的内容，同时又发挥了教育之积极的意义。

三　教育的目的

一般说来，人类活动与其他动物的生活活动比较

[1] 杜威:《民本主义与教育》，第四章。

起来，表现出质的差异性。动物的生活活动，大都只是属于本能的，无意识的，没有预定的目的。反之，人类的活动，是有意识，有计划的，合目的的活动。举例来说："譬如，蜘蛛实行与织工的作业相类似的作业，蜜蜂建筑出来蜂窝，能够使得建筑师感到羞辱。但是最拙劣的建筑师，也具有为最巧妙的蜜蜂所不能及本来的特色，就是建筑师在建筑以前，在他的头脑中已有一定的计划。在劳动过程之最后所表现的结果，在工作之始，已经存在于劳动者的意念中，他不仅仅变化自然物之形态，同时，他还在自然物中实现他的目的。这种目的，劳动者当作法则，决定他行为的种类及形式，并且他的意志也必得隶属于其下。"[1]这就是说，人类的活动是有目的的，其他的动物则是没有目的的。

教育是一种社会的事业，是一种社会的历程，所以教育上的一切设施，自然具有一定的目的性与有计划性。目的是有意识的活动之结果，而为决定我们所从事的活动的方向之契机。关于目的意义，杜威曾经这样说着："目的所表现的意义，是说我们把任何自然的历程

[1] 马克思:《资本论》，第一卷，第三编，第五章。

所发生的结果，纳入意义的境界，并用此作为根据，借以决定现在的观察与实行途径的选择。”[1]

他还说：“目标（End in view）这个名词很有暗示我们的作用，因为它能使我们把某种历程的终点或结果，放在心目中，作为指导。我们如要范围我们的活动，其唯一的方法，须把这种活动所终结的对象，放在我们的眼前。”[2]

教育是在具体的社会中产生和发展起来的，它是被决定于具体的社会关系的。所以，不论在任何教育形态或教育现象中，我们都能发现出一个明显而确定的目的，并且这个目的，反映着一定的社会集团的社会生活，表现着一定的社会集团的意识和企图。古代斯巴达的教育，其目的在于保证未来的斯巴达人成为国家之忠实和有能力的奴仆，并且能够以武装来防卫国家。所以，当时的教育内容，完全注重于意志与体格之锻炼。在耶苏会派的教育中，其目的在养成皈依宗教，恪守教条，热心而虔诚的教徒，所以，一切教育上的设施，不主智慧，

[1] 杜威：《民本主义与教育》，第八章。

[2] 见前书同章。

不主实用，以发扬教义为中心。因此，信仰夺科学的地位，超物质界夺现实世界之地位。从这些历史的成例，我们一面可以看出教育的目的，决定了教育纲领的全部性质，同时我们还可以看出教育的目的，反映了一定的社会集团的需要和愿望，类似这样的情形，在现阶段的社会中表现得更为明白。

现在社会的一方面，是资本主义的社会。关于资本主义社会的教育目的，在现代的教育著作中，有许多不同的意见。在那些提出来的目的中，有完全的生活，人格的完全发展，完成一个人的各种能力，更善的文字学习法，个人的陶冶，知识的增加或传播，自发的发展，社会的效率，欲望的满足，快乐的增进，审美的情操的提高，以及文化的修养等等。这种混乱的现象，正如品凯微支所说的那样："大多数的教育艺术家，都各自就教育目的下一个定义，结局，定义的数目差不多和下定义的著者的数目相等。"[1]

这般市民的教育学者所提出的教育目的，虽然只是一些空泛模糊的概念，然而却有一个共同之点，就是

[1] 品凯微支:《苏俄新教育》，第一章。

他们的立论都反映出资本主义社会教育之个人主义的特征。“资本主义社会中支配的意识形态是个人主义。这种个人主义是布尔乔亚种种集团的各种矛盾的利害之独特的反映形式，它在资本主义社会的领域内达到了顶点。因为这个时代，资本主义的商品社会驱逐了封建经济，自由的市场竞争，发展到最高限度，因此在意识形态上，便反映出个人主义。”[1]

在资本主义社会中的意识形态，既然渲染着个人主义的浓厚的色彩，所以，在教育的领域内，个人主义的原理也就向前发展了。

现社会的另一方面，是社会主义的社会。社会主义社会的教育，其目的是和资本主义社会完全相反的。关于苏联的教育，虽然有一些外国考察者和研究家的报告，但是在实际上说，这些报告，因言语的困难与直接的接触之不充分，所以都不能被认为苏维埃的教育的正确的理解，这正如康慈（Counts）教授之所说：“大体在语调上是印象主义式的，在范围上是断片的，在主张上

[1] 李达：《社会学大纲》。

是偏颇的，以及在内容上是不足置信的。”[1]因此我们要正确地理解俄国的教育，必须以俄国教育家之著作为根据。关于苏联的教育纲领，品凯微支曾经有详细的论列，其言如下所示：

> 我们的教育目的的确定，将采卡尔主义的方法，而提出问题如下：在现时社会条件之下，什么教育目的最完全适合无产阶级的利益呢？这一问题，我们将就养育与陶冶分别地解答。
>
> 然则无产阶级之国家中，养育的目的是什么呢？很明显地，个人应该发展为一个强壮而健康之有机体，使身心之机能调和，依照这种目的一般的说法，我们似乎与资本主义国家的教育家是没有差别，但这样一般之代数公式，没有说及达到目的方法；它也没有就养育的问题给予一个具体的说明，在详细的方法与原理的具体的应用上，卡尔主义的教育是与资产阶级的教育学不同的。

[1] 品凯微支：《苏联新教育》康慈《序言》。

一般陶冶之主要目的是世界观的发展，即在引导各个人以理解且评价现代全部文化之遗产，我们社会主义的理解与卡尔主义的评价，当然在根本上是与有产阶级的不同，我们必须养成社会主义的战士，使他们明白地了解阶级问题，而能够独立地评价一切现代文化之最重要的形式，这并不是说，我们不容许个性的发展，我们所理想的人，是充分具备着现代所有的知识。而一切真正所谓美的东西，都接近于他；我们理想积极的强壮的人，与现在社会的革命阶段共同奋斗，以实现全世界与全人类幸福的理想，这样，关于一般陶冶的目的与关于职业陶冶的目的，并无冲突；一个人必须受普通的教育，同时又要具备某种特别之技能。

总括起来，我们可以说：在苏联国内，养育与一般陶冶的目的，在帮助一个健康、强壮、活泼、勇敢和独立思考与行动的人之圆满的发展，使他了解全部现代文化，使他在无产阶级的利益中，并且最后在人种全体之利益中，做一个创造者与奋斗者。[1]

根据上面各方面之论究，我们可以明白教育的目的是多种多样的，归根结底来说，它总是被具体的社会关系所决定的，绝不是历史的社会过程以外的东西。

现代教育理论家大多数主张教育的目的，能够由伦理学提供一个坚实的基础。在这般学者的心目中，以为伦理学乃是研究行为规范或道德律的科学，而伦理法则与道德法则一般地是不变的。它有恒久的原理及单纯的原素，这个伦理之原理是超越历史，超越民族性之差别而存在着，这样他们的伦理观或道德观便成了超时间或超空间的东西。他们从这个观点上面，就得到这样的结论：即教育的目的，在究极上，应由道德科学的伦理学所决定。

其实不然，伦理之观念，并没有绝对之性质，它仍然是受具体之社会关系所制约，超时间或超空间的伦理法则或道德法则，是不存在的。

[1] 品凯微支:《苏联新教育》。

任何道德理论，直到现在，归根到底总是当时社会经济状态的产物。因为直到现在社会仍发展于阶级对立之中，所以道德仍是阶级的道德，它或是为支配阶级的统治及利益辩护，或是当被压迫阶级充分有力之时，它就表现对于这个统治的反抗，而拥护被压迫者的将来利益。而整个讲来，在道德上，也和在人类其他一切知识部门上一样，发生着进步，对于这点，谁也不起怀疑。可是，就在现在，我们还没有越出阶级道德之外，只在不仅消灭阶级对立，而且在实际生活中，消灭一切关于阶级对立的回忆之社会发展的阶段上，超越一切阶级矛盾及矛盾回忆之上，真正人类的道德，方才成为可能。[1]

总而言之，人们的道德观念总是自觉地或不自觉地基于自己的物质条件，并适应社会关系，而形成起来的东西。所以，我们否认永久的，终极的，不变的道德律的主张。

[1] 恩格斯:《反杜林论》。

假若这个论点是正确的，那么，当作道德科学看的伦理学，也不能提供我们以一个永久的，终极的，不变的教育目的的标准，并且在实际上，没有抽象的真理，一切真理都是具体的，因此，我们认为把任何种教育的目的，使之公式化，是完全没有必要的。

虽然如此，但是我们如果根据当前的教育思潮发展之趋势，根据全部人类社会全部发展的方向，我认为在教育哲学的领域内，提出一个教育上的理想，把它作为教育工作者共同努力以赴的目标，这不单是可能的，而且是必要的。这在一方面，因为人们对于他所视为尊荣可贵的事业毫无理想时，是无从努力起的。在另一方面，如果把相对提高到绝对之阶段，抹煞一切的界限，抹煞一切客观的规定性，这是一种诡辩论。

杜威说："教育的过程，于自身以外没有目的，它自己是自己的目的。"[1]我们如果把杜威的话用比较明白的形式说出来，就是：教育的过程除了经验之生长和改造之外，更没有其他的目的。杜威的教育哲学重实用而抹煞理想，这是一个自明的事实。

[1] 杜威:《民本主义与教育》，第四章。

我们固然不否认教育理想与教育意识须受一定的社会条件所决定，但是，教育理想或教育意识亦能影响教育的实际内容与设施，所以，每个教育工作者，只要他是忠实于他自己的事业，都应该从教育哲学的研究中获得具有现实性的教育理想与正确的教育意识，借以一步一步的推动教育前进，与一步一步的推动整个人类前进。

关于当前的具有现实性与正确性的教育理想，我们可以提示如下：

（一）教育者应该使被教育者能够创造出一个正确的世界观，关于这一点意见，品凯微支曾经竭力地主张着："生而具有的性质之发展，只不过是教育事业之一半，把身心提到完成的程度是不够的。发展了的个人，应该了解他所住的宇宙；他应该知道自然界和人间界；他应该在那个世界中间开拓他的路径。换句话说，他应该了解并且能够评价他周围之现象；他应该能够创造他自己的独立而完整的人生观；并且他应该准备改造他的环境。欲完成这个目的，显然必需借助于一种直接的影响，一个有系统的和继续的行动纲领是不可少的。"[1]

[1] 品凯微支：《苏联新教育》。

还有布朗斯基（Blonsky）也同样主张着："事情的真相如此：我们的学校只知道分析，因而发生很严重的错误了。我们只管分析又分析，却忽略了这样的事实；只是正和分析一样，我们也必须综合。学校不可仅仅传授一些个别的知识，他首先必须传授统一的，完全的世界观为目标，它必需以一种明确的意识形态来转移各个人，否则，一些各不相关的，支离破碎的知识将在儿童的头脑中发生混乱。世界不是从各个彼此分离的现象所构成的，一切事物都是最密切地互相关联互相错综着，在实际上所谓综合，不过就是辩证法在教育学上应用的一种形式而已。"[1]

诚然，在教育的任务上，使被教育者能够创造出他自己的世界观，实为最重要的理想目标。有了正确的世界观，然后有正确的人生观与社会观，人对于世界，社会和人生，能够获得正确的思想系统，以指导他的生活，然后他在生活过程中，能够表现出伟大的生命力。因为一切内容丰富的生活是要在我们的世界观，社会观和人生观的指导下去创造的。如果在教育过程中，只是传授

[1] 品凯微支:《苏联新教育》。

一些庞杂的，断片的知识，而无明显的思想系统，那么，培植出来的个人，一定不能把握着人生的真实意义，一定不能把自己个人的生活汇合于人群生活之洪流，来推动历史的机轮。

因为这样，所以在教育的过程中，教育应该充分利用时机，使被教育者对于客观的现实世界有一个系统的认识与了解，借以发展他自己的正确而完整的世界观。

（二）发展被教育者的社会性。社会是由个人组织而成；没有个人就没有社会，同时没有社会，也就没有单独的个人之存在，实际上，自有人类以来，就有了人类社会，人类从来没有在社会以外生活过。用亚里士多德（Aristotles）的话来说，人类确实是一种社会的动物。我们知道个人所受环境的影响是非常之大的，个人所使用的言语是社会的产物，个人所接触的文化乃至风俗习惯都是和社会有不可分离的关系存在着的。我们可以说：整个的社会生活时时刻刻陶冶着个人，人的本质，在其实际上，就是各种社会关系的总和，而且是某种现实的，特定的社会关系的总和。现实的人是不能离开具体的社会环境及具体的历史过程的。因为他必是属于一定的社会形式与生活在一定的历史阶段中的，超越特殊的社会与具体历史的关系的人，只不过是一种空虚的抽象体。既然人生来就是社会的人，那么，他就必须在社会内部发展他真实的性质，“如果学生虽获得知识与技能，不能影响于社会性的倾向之养成，则寻常有活力的经验的意义便不能因此有所增益，于是学校教育所创造的人才，是学蠹自私自利的专家”[1]。

根据这个事实，所以，教育上的各种设施，应该发展被教育者的社会性，应该扶助儿童组织他自己的社会生活于学校中，发展那为创造新社会生活所不可缺少的集团的特性，因而消灭个人主义的倾向。

（三）在教育过程中，培养被教育者的实践性。“哲学家们只是各式各样地解释了世界。而要紧的是变革世界。”[2]所以，我们从哲学的见地来考察教育，那么，个人对于环境的积极作用，是应该重视的。人固然是自然环境的产物，人却可以改变自然；人固然是社会关系的产物，人却可以变革社会。

---

[1] 杜威：《民本主义与教育》，第一章。

[2]《费尔巴哈论纲》。

社会历史的发展，自有其客观的因果规律性，所以，支配社会历史的过程的，并不是个人之意志，而是一种必然性，即历史的必然性。但是，一般形而上学的学者，他们不理解这一论点，每每发出庸俗而机械的见解，就是：他们以为人类的历史是不待人类去活动，它自己就像自动机械一般能够在自发的运动的状态下运动着，发展着。他们不知道在社会的历史过程中，人类有意识的实践是十分重要的，人类的实践是社会之发展的必要因素。

这样，就根本否认了主观对客观的能动性，他们不理解，客观的改变是有待于主观的活动的。不过，主观的活动最后仍为一定的客观条件所规定，所以，主观的能动性不是绝对自由的，而是有一定的限制的。但是，在客观所容许的环境内，主观对客观仍不失其能动性。因此主观对于客观是能施以改造的。人类在认识客观世界的规律性之后，就可参与其发展，促进其变革，使之适应于自己的需要。

因为这样，所以，培养被教育者的积极性与实践性，就成为教育之主要任务之一。

总之，教育的内容是应该和现实联系着的，是应该适应社会之现实的需要的，是应该供给被教育者以一个正确的世界观，社会观和人生观的，是应该发展被教育者的社会性及培养被教育者的实践性的。

固然，我们不承认有终极的具有绝对性的教育的目的，但是，根据当前的教育思潮发展的趋势与整个人类发展的方向，那么，上面所指出的数点，也许可以看作当前的教育上的一个明晰而概括的目标，如果能够用无遮饰的眼光去看的话。

第九章　教育价值论

一　教育的价值

> 寻常对于教育价值的讨论，乃是集中于考虑课程里面各科所成之结果。这种讨论是要指出学习了这些科目对于人生有紧要的贡献，因此证明这些科目应须学习。[1]

照上面所征引的这段话看来，可以明白，一般所说的教育价值，是专指课程里面各科所要求的价值，换言之，所谓教育价值，就是指着某一种知识部门对于被教育者之现实生活所提供之功用。

近来大多数的教育著述家，关于教育的价值常有很

[1] 杜威:《民本主义与教育》，第十七、十八章。

详尽的讨论。但是，最初提出这个问题的实为斯宾塞尔（H. Spencer）。

斯宾塞尔《教育论》（*Education*）一书，在教育学史上所占位置之重要，言教育者类能知之。斯宾塞尔在他这部著作中，首先提出“何者为最有价值之知识”（What Knowledge is of most Worth？）一问题，推阐尽致。其论如下：

> 吾人教育性质粗浅未进之证，其最著者莫如各种知识比较的价值高下，绝未经人讨论，若乃以有方法的讨论，求一定之结果更无论矣。又不仅各种知识相对的价值无一定之标准已也，乃至是等标准之存在，亦未尝有明了之观念。又不仅是种标准之存在，无明了之观念已也，乃至是等标准之需要，亦未为人所感觉。常人东谈西听，辄定某科其子宜学，某科其子宜舍；所据以为取舍之标准者，唯是习惯与憎爱，未尝于学问之真价值与选择之重要，略加之意。吾人尝闻人言，某种知识视某为重要矣，

> 第其所谓重要者，果足值如斯时间之代价乎？此种问题，不幸则竟不为人所留意，幸而发生但亦随人之成见，囫囵解决，能加以仔细研究者鲜矣。[1]

照斯宾塞尔的意见，凡为人所学之各种科目，无不具有若干价值，所以，他所注重的，并非某种知识有无价值的问题，乃是价值之比较问题。他这意见，正如培根（Bacon）所说的那样，知识相对的价值，不可不先为决定。

但是，想要确定知识之价值，不可不先确定知识价值之标准，斯宾塞尔以为知识之有价值与否，当以与人生之关系为最后之权衡。他曾经这样说："使吾人能得完美之生活，乃教育之天职，而教育良否之合理的判断，须视其尽此天职至于若何程度而定。"[2]

斯宾塞尔把人生各种主要活动，类分为五：（一）于自存上有直接关系之活动；（二）以生活之必要，于

[1] 斯宾塞尔：《教育论》，中译本，第一篇。

[2] 见前书。

自存上有间接关系之活动；（三）关于长育后嗣之活动；（四）关于维持社会及政治关系之活动；（五）当闲暇时间为满足趣味与感情之一切活动。

从斯宾塞尔之见地言之，上列五类为其自然之次序，教育之目的即在完全预备此五类，所以，他主张教育上合理之次序，就是：（一）直接的自存之预备；（二）间接的自存之预备；（三）长养子孙之预备；（四）市民之预备；（五）各种高尚生活之预备。

斯宾塞尔应用这个标准，断言科学的知识，于生活上最为有用，最为有价值。他主张在教育上应以科学代替希腊拉丁二种文字的地位，当时的英国教育，专以希腊拉丁文字为教育之正宗，而对于各种科学知识，都视为无足轻重。斯宾塞尔所持之态度，正与当时一般传统的见解完全相反。在斯宾塞尔看来，希腊拉丁文字之为人所重视，实不过炫耀过于实用之表现。

他宣言道："彼阿林罗柯（Orinaco）之印度人，不涂饰则不敢出户，非以涂饰别有利益，特恐无之则见笑于人，吾人之教幼子也亦然，拉丁希腊文字之学，非以其有本己之价值，不过以不习拉丁希腊文字则所谓上等人之教育不完，而不免为同类所讪笑而已。”[1]

至于科学价值之重要，斯宾塞尔作出如下所示之结论：

> 若然，对于吾人最初之问题，何者为最有价值之知识，仅有一答案，即科学是也。此答案乃稽考全体而得之。为自保与养生存身计，其最要之知识无他，科学是矣。为间接之自存，即所谓谋生之事计，其最可贵之知识无他，科学是矣。为行家庭之任务计，其相当之导师于何求之，曰科学是矣。为解释过去及现在之国民生活以节制市民之行为计，其不可离之橐钥何在乎？曰科学是矣。为各种美术最完全之作品及最高尚之愉快计，其不缺之预备为何乎，曰科学是矣。[2]

斯宾塞尔的论旨，足以代表当时科学中心的思想，

[1] 斯宾塞尔：《教育论》，中译本，第一篇。

[2] 见前书。

极力反对那般守旧的顽固的教育家，因为当时那般守旧的顽固的教育家主张学校教育专门注重于古典文学的研究，极力排斥科学，务使出乎教育范围之外。斯宾塞尔所持主义正与之相反，他对于这般反对科学的守旧派，毫不容情地加以抨击。“虽与斯宾塞尔同时诸科学家，各于其学术范围以内，鼓吹其同样主义，然斯氏证喻之博，辩论之精，主张之力，皆当时诸人所未及教育先觉之誉，斯氏诚当之而无愧色矣。”[1]

自从斯宾塞尔发表《何者为最有价值之知识》一文而后挽近教育著作中，讨论价值论，风靡一时，尤以美国德国为最盛。

关于教育价值的理论，在美国一部分教育学者间常区分为两种不同的范畴：即“内在的价值”（Intrinsic Values）与“工具的价值”（Instrumental Values）。如杜威，波特（B.H.Bode）在讨论价值时，便是如此。照杜威的意见，“价值”这个名词，合有两种不同的意义，第一个意义，是表明珍视其事物的态度，是表明觉得这件事物的本身有价值，依这个意义讲，对于某事物觉得有价

[1] 斯宾塞尔：《教育论》，爱理亚氏《原序》。

值就是说对于这件事物能欣赏。但是除了这个意义,“价值”还有一种意义,就是估量价值。我们要比较要判断,要估量这件事物的价值,我们若缺乏直接完满的经验,若所应付的情景有种种可能的实行方法,须选择最适当的方法,借以达到最完全的实现,或借以达到亲切的经验;这样一来,我们便要用一番估量价值的功夫了,这两种意义的区别与“内在的价值”及“工具的价值”适相符合。“内在”的价值不是判断的对象。这种价值因为是内在的,所以并无比较的标准。它不能与别的价值相比较,不能有大小的区别,也不能有好坏的区别。反之,工具的价值是有待于比较的。在某种情境之中,我们不能不有所选择或有所取舍。这样,我们便有了爱好的秩序,便有较多与较少的价值,便有较好与较坏的价值。我们判断事物的价值必须参照其他的事物,必须参证其他的目的。这种比较的价值是用来达到其他目的的手段,或“工具的价值”。

杜威把上面所说的原理作为根据,以为课程里的各科目,一面具有“内在的价值”同时也具有“工具的价值”。因为各种科目对于经验有直接的贡献,能令我们有直接的欣赏，所以有“内在的价值”；但是，各种科目，又可用为手段来达到其他目的，所以有“工具的价值”。我们如要决定各科目有多少“工具的价值”，其唯一的估量标准，要看各科目对于经验里面种种直接的“内在的价值”有何贡献，所以，教育价值的理论要点，是如何使得经验统一，而同时又不致因统一而使得经验的范围狭隘；怎样使得经验完备，又有种种变异，而同时又能不失统一的精神。

杜威由教育价值的考察，进而阐明他对于教育之基本的观点。

> 任何科目，只要在经验上有唯一的不能由他物替代的功用，只要具有增富生活的特性，它的价值便是内在的，便是不能比较的。教育既不是生活的手段，乃是与有效果的本来意义的生活融合为一，所以教育唯一终极的价值，就是生活历程的自身。这个生活历程，也不是科目与活动所附属的目的，科目与活动也不是这个目的的手段：这个生活历程是全体，科目

与活动是这个全体里面的分子。[1]

波特的教育价值论，其主张多得之于杜威的启示，所以在大体上，是和杜威相同的，他和杜威一样以为教育的价值所能比较的当然限于工具的价值，即限于现在目的和将来目的之关系。至于内在的价值是我们直接所估量的，没有比较之标准。

在波特的见解上，“教育是个人加入社会团体的一种历程。个人要充分地参加社会生活，非对于那社会的目的有相当的了解不可。了解愈多，生活愈丰富。生活的丰富，既恃社会环境的了解，则各科教材的价值，即可以它所给我对于社会生活了解的多少以为比较的标准”[2]。波特以这个原则为根据，因提出教育价值之“社会性的标准”（Social Criterion of Educational Values）。他以为一切科目，课程，教材等之决定，须视乎其能禅益于被教育者对于社会环境之了解为标准。

其在德国，关于教育价值之研究，尤其流行。如

[1] 杜威:《民本主义与教育》，第十八章。

[2] 孟宪承译:《教育哲学大意》，第三章。

斯普兰格（Edward Sprangir），杜尔（Erns Dürr），利脱（Theoder Litt），柯恩（Cohn）和瓦格涅（Julins Wagner）诸学者，都是努力于教育价值论之研究与建立的。在这里对于这般学者的教育思想，不能一一加以叙述，只择其最要者，斯普兰格与杜尔的思想，略述一二。

斯普兰格在教育上立场完全是观念论的。他以为教育的意义，一方面在由外部摄取客观的文化价值以发展内部的人格价值，同时，又由主观的内部创造新的文化价值。换言之，教育的任务，系由客观以达于主观——文化价值的摄取，而其结果则更由主观以达于客观——文化价值的创造。因之，“离开了价值关联，既无所谓教育，而人格陶冶，亦不能存在。因为不论是教育的内容或人格的内容都须摄取客观价值而始能充实，而始能附与意义”[1]。而这用以陶冶人格，充实人格内容，并促进其由内在的潜力所生的人格之成长，发达的客观价值，是即所谓陶冶价值。随着被教育者的个性之不同，而陶冶价值亦异其种类。所以关于陶冶价值之选择问题颇相当于一般教育学上所说的教材选择的问题。

[1] 蒋径之:《文化教育学》。

从来的教育学把教授上锻炼心力的方面，名为形式的陶冶，把教授知识技能的内容的方面，名为实质的陶冶。斯普兰格亦仿照这种分类，而将陶冶价值区别为形式的与实质的二方面，形式的陶冶价值，是指训练关于价值创造与价值体验的精神活动的根本方向的动作而言；而实质的陶冶价值，则指由此而获得的价值的内容而言。斯普兰格虽把陶冶分为形式的与实质的二方面，但是他却以为离开了实质的陶冶，即不能成立形式的陶冶价值，同样，离开了形式的陶冶，亦无从成立实质的陶冶价值。这就是说，形式的陶冶与实质的陶冶，在教育作业上，应视为同一物的两面，相需相成，以达其目的。[1]

杜尔的教育价值论，其主要点是在区别价值为理想价值与现实价值。在实际生活上，现实价值较为重要，在杜尔看来，教育对于被教育者有价值的东西及为被教育者而从事设施的社会的价值的一切，务使其尽量地增加，教育决不当为低级价值而牺牲更高级的价值，教育决不可轻视现实价值，宁使理想价值从属于现实价值，

[1] 参照蒋径之:《文化教育学》。

这就是杜尔的教育价值论的最高原理。在杜尔这种见解中，不待说，是承认现实价值高于理想价值，同时，又承认现实价值中存有关于价值大小的差别。而这种差别究以何者为判断的标准呢？杜尔的回答是：人类的幸福的维持与增进为测定教育的标准。

我们在上面已经从斯宾塞尔的教育价值论直至杜威、波特，以及斯普兰格、杜尔的教育价值论，分别叙述过了。在哲学的观点上，他们是各不相同的。斯宾塞尔是立足于实证主义的，斯普兰格是属于文化教育学派的，杜尔是采取价值哲学的立场的，而杜威和波特，谁也明白，是以实用主义为其哲学的背景的。这些学者的教育价值论所以不同的理由，虽有种种事实可供说明，而其最重要原因，则为哲学上的立场的不同，关于他们的主张，在这里，没有详加检讨之必要，我们要讨论的，只限于确定知识价值之标准问题。这个问题，自从斯宾塞尔以后，在教育价值论上即已成为中心问题。

一般说来，关于知识价值的标准，是因时因地而不同的。我们不承认它在任何时代任何民族间具有普遍的妥当性。换言之，即不承认它有超时间超空间的绝对性。

因为知识价值的标准和教育的目的，是存有密切的关系的。关于教育的目的，我们既不能把它公式化，那么，关于知识，价值的标准，我们当然也无从公式化，就个人来说，“甲喜音乐，乙好工程，丙研数理，丁嗜诗歌，问他何者最有价值，则文学天才，以诗歌为人生的至宝，数理各名家，看得计算是学问的极则。这两个人辩论起来，直如以一象一虎来讨论草食肉食的那个有益，岂会有结果”[1]？就民族或国家来说，古代斯巴达教育所注重的知识，当然不同雅典，现时社会主义国家所注重的知识，当然也不同于资本主义国家。这样看来，知识价值的标准，岂不是无从确立了么？

虽然如此，但是，知识价值的客观性仍然是存在的。比如说，科学的知识，和宗族的知识，在知识价值上，谁也不会把它们等同起来，我们不能否认知识价值之客观的标准，正如我们不能否认客观的真理一样。

在斯宾塞尔时代，因为那般守旧的学校和教育家，极端主张专门研究于实际生活毫无裨益的古典文学，并反对科学加入课程。所以，斯宾塞尔认定当时在教育上

[1] 孟宪承译:《教育哲学大意》，第二章。

占有支配力量之教育思想要经一番完全的改造，因之，他反对从来那种专以希腊拉丁两种文字为教育与训练的工具，极力主张科学加入于课程之中；并于一八五九年所发表之《何者为最有价值之知识》一文中，以确定而坚决的态度，断言科学知识较之他种知识为最有价值。斯宾塞尔这种主张，无疑地，在斯宾塞尔时代，是有重大的意义的。

但是，在学术思想进步的今日，虽以最狂妄与最愚昧之人，亦不至诋毁科学或排斥科学，所以，关于知识价值的标准，我们应该重新估定。

估量各种知识价值的标准，据杜威的研究，有“健康”、“财富”、“效率”、“社交”、“实利”、“文化修养、”“快乐”等等，他认为这些价值标准，都不过是抽象的名词，概括许多特殊的具体事实。如把这些名词作为标准，用来估量具体的题旨与教育历程的价值，这便是把抽象名词所根据而引伸的具体事实，附属于抽象名词，反把抽象的价值看得很重，把具体的事实看得轻。因此，他认为这些名词，并非真正估量价值的标准。在他看来，估量价值的标准是在“特别的欣赏”，这种欣赏，能够构成“审美能力”、“想像能力”与“真切觉得有价值”的情感。[1] 其实，杜威所说的“特别的欣赏”，也是很抽象的，我们不能承认它是知识价值之客观的标准。

然则估量知识价值之客观的标准是什么呢？我们以为要衡量知识的价值，第一个原则，要看所选择的一切科目、课程或教材能否促进教育上最大目的之实现。申言之，就是要测定教材的价值，我们必须问被教育者在实际上所获得的知识能否帮助被教育者确立正确的世界观以及能否发展被教育者的社会性与实践性。第二个原则，要看所选择的一切科目、课目或教材能否表现教育之固有的本质的特色。申言之，就是要测定教材的价值，我们必须问被教育者在实际上所获及的知识能否帮助被教育者理解自然发展的规律性和社会发展的规律性以及能否使被教育者合理地改变他的自然环境与社会环境，一面扩大人类社会与外部自然之间的物质交换过程，同时并发展他所依以生活的社会之精神文明与物质文明。这就是说，教育价值的测定是以教育的本质和教育的目的二者为其衡量之标准的。

[1] 参看杜威:《民本主义与教育》，第十八章。

除上面所说的这两个原则而外，还有第三个原则，就是要看所选择的一切科目、课程或教材的内容，是否合乎客观的真理。我们要了解真理与知识价值的关系，须先对于真理作一番详尽的考察。所谓客观的真理，就是它的内容“不依存于主体，不依存于个人，也不依存于一般人的”那样的我们的表象。我们知道，人类的认识能力，和其他一切事物一样，同是往前发展的。在一定的历史条件所能允许的限度之内，人不能完全认识外部的世界，可是，世界永远是可认识的。在认识的领域中，单独的思维的个人对于外界事物之认识，是非至上的，是有制限的，但是，在历史上发展着的人类的认识的可能性，却是至上的，是无制限的。

自然界一切事变的全体，成为一个系统的关联。但这关联之适当的无遗漏的科学的叙述以及我们居住其中的世界体系之精确的思维映像的制作，无论在我们，或其他任何时代，都是一件不可能的事。所以，人类完全是被位置在一个矛盾之前。即是说，我们一方面虽然想

> 在世界体系的全体关联上，全无遗漏地去认识它；而另一方面，在人类自身的性质以及世界体系的性质上，却又使人不能完全解决这个问题。思维的至上性，实现在最不至上的思维者的系列之中。具有无条件的真理性之认识，实现于相对的谬误的系列之中。但是，不拘前者或后者，除了人类无限的存续以外，是不会完全被实现的。[1]

从上面所说的可以看到，真理的知识常是相对的。相对的真理，不是绝对的真理，正如部分不是全体一样。但是，部分却以全体为前提。全体不是部分，而部分却构成全体。绝对的真理不是相对的真理，而前者却由后者的总和所构成。

科学的各个发展阶段，每达到相当的程度，即在这个总和之中加入一粒一粒的绝对真理。真理是在于认识自身的过程中，存在于科学之长期的历史的发展中，而科学总是从认识之低的阶段进展到更高的阶段。我们的

[1] 恩格斯:《反杜林论》。

知识接近于客观的绝对的真理的界限，虽然是被历史的条件所制限，但这真理的存在以及我们的知识一步一步地和这种真理相接近，这却是绝对的。

关于真理的问题，还有一点，我们必须把它指明出来，就是：

我们固然不像一般形而上学者那样，承认一切存在物都具有绝对的不变性，一切的范畴都具有永恒妥当性；因而主张人类的知识是绝对的，是不变的，真理也是绝对的，不变的。在另一方面，我们也不像极端的相对主义者那样，只承认相对的真理，完全否认真理之存在。极端的相对主义者把相对提高到绝对的阶段，从他们的见地说来，一切科学的知识，一切科学的理论，都只是相对的真理；同时，也只是相对的谬误。因此，真理与迷妄，客观的事实与错觉，科学的认识与迷信，在极端的相对主义者是无从设立区别的。“相对论在论相对的东西中，只认定相对而排斥绝对。因为相对论反对绝对的东西，所以，乍看起来，它好像是与形而上学相对立，而实际上，它是形而上学的一个变种。”[1]

[1] 西洛可夫等：《辩证法唯物论教程》。

不待说，形而上学的真理论是错误的，同时，极端的相对主义者的真理论者，也是错误的。依着正确的观点，只有在相对的东西中认识绝对的东西，才是正确的。只有把相对与绝对的差异，当作相对的差异去理解，才是合理的。“世界上一切的东西都是相对的，这自然是不错的。但这个命题，还没有说尽一切。所谓相对性这个东西，也只是相对的，极端的相对主义者，因为违背了他们自己的原则，所以，他们全然没有立足于理论上的地盘。他们由于所谓一切东西都是相对的主张，就把相对性当作一个绝对的东西。因其如此，所以，在他们看来，相对性都是绝对的。从而他们的见解，就充满了矛盾，并且在最后的意义上，一定是这样的，因为这种见解，是不能被扬弃，也不能被克服的。近代唯物论的见解，便和这个不同。一切的东西是相对的，因而相对性本身也是相对性的，决不是绝对的，从而我们在某种意义上，对于绝对，也是可以说的。所以我们如果彻底地贯彻相对性的见解，其结果，必然引导这种见解的否定。”[1]

---

[1]《唯物论与经验批判论》。

真理并不是存在于人类意识之中，而是客观地存在的，真理并不是主观的，它是产生于现实的物质的过程。物质的过程，是客观地存在着，所以，真理也是客观的。

什么叫作真理，我们既已明白了。接着我们便可进而考察真理与知识价值的关系。

从上面的讨论中，我们可以看出一个要点：就是客观的真理是存在的，不过，关于真理的认识，在历史上被附着条件，所以我们不能够完全地，整体地，无条件地认识绝对的真理，人类关于真理的知识，总是相对的。但是，在相对之中，可以看出绝对，即是承认相对之中的绝对。根据这一论点，则真理与谬误的客观规定性，真理与谬误的境界线，是无容否认的。

既是如此，那么，在测定知识价值时，我们必须问被教育者在实际上所获得的知识是否合于客观的真理。这就是说，客观的真理，可以当作测定知识价值的标准。比如说，空间及时间和运动一样，也是物质的存在形式，也是物质存在的根本不可缺的条件。即无运动，物质是不可思议的，同样，无空间与时间，物质也是不可思议的。空间乃是物质的实体形式的表现，时间乃是物质的运动形式的表现。换言之，物质的广袤是空间，物质的运动是时间，所以，离开了物质便无所谓空间，空间是物质的，物质是空间的。同样离开了物质也无所谓时间，时间是物质的，物质是时间的。物质在空间或时间上是无限的，所以空间也是无限的。

照这样说来，空间与时间都是依存于物质而存在的，同样，物质也是依存于空间与时间而存在的。没有空间与时间，物质就成为乌有，就成为仅仅在我们头脑中存在着的，单纯而空虚的表象或抽象。而空间与时间则经过运动而被统一于物质之中。“运动是时间与空间的统一。”[1]因此，空间与时间是与物质内在地结合着的。

上面这一种对于空间，时间与物质关系的说明，乃是客观的真理。

但是，在牛顿物理学说统治科学界的时候，在一般人的意识界中却以为空间与时间是完全离开物质而独立的东西。因为牛顿虽然承认空间与时间的客观性，而不像笛卡尔和斯宾诺沙那样，以为空间和时间只是一种思

[1] 恩格斯语。

维的形式，只是一种抽象的概念；同时也不像康德那样，以为空间和时间完全是主观的抽象，是先验的范畴。但是，牛顿仍然没有认识空间与时间之现实的意义，却把空间与时间和物质分离开来。他一面把空间看作一个单纯的容器，同时又把时间看作一条无限的空虚的直线，而物体则存在运动于其内。这样的见解，直到相对原理发表之后才开始动摇。爱恩斯坦在全部相对原理中，极力阐明空间，时间，与物质之关系，他说："过去以为没有任何物体，空间与时间依然可独立存在，现在知道不然了。空间与时间并不是宇宙之容器，假如没有内容，他们是根本不能存在的。"相对原理打破绝对的空间与绝对的时间观点，这是相对原理之最大的贡献，从来一般形而上学的见解，以为空间是三次元，以为空间和时间是绝对的对立，但是，相对原理告诉我们：空间和时间是在四次元世界（即基于三个空间坐标与一个时间坐标而成立的）上面不可分地统一着的。爱恩斯坦本身虽然脱不了马赫主义（Machism）的影响，然而他的发现，却具有不可磨灭的功绩。

爱恩斯坦的相对原理，是合乎客观的真理的，而牛顿的空间观与时间观则是形而上学的，所以，在知识的价值上，前者大于后者。

又譬如说，有机生命是由无机物质发展而来的，所以在生命现象与无机现象之间有同一性之存在，但是，所谓“生命”这种东西是一种新的综合，是一种新的发展阶段，所以，在质量上，它是和它所由发展的无机界现象不同的。我们可以说，在整个自然体系中，各个现象或各个发展过程，一面具有统一性，同时，又各具有质量的特殊性，这是一个最根本的最一般的科学的原则。但是，在现代学术界中，关于有机生命的理解，我们可以发现出两个根本相反的错误，其一为活力论或生机主义（Vitalism）的生命观，其他之一，则为机械论（Mechanicalism）的生命观。所谓活力论，乃是属于生物学中之观念论的一派。依照这派的学说说来，生命之本质不能认识的。因为在活力论者看来，生命现象乃是以一般物质相异而为一种特殊的力即所谓活力（Vital force）的表现。这生命的本质即活力，是离开物理学与化学的法则而独立的非物质的东西，是不能用物质的一般法则去说明的。他们认为在有机的生命与无机的世界之间存有一个不可逾越的鸿沟。有机物具有无机物内断乎没有的特殊的力，所以，它能够表现出它独有的形式和法则。因此，他们认为没有由无机的物质发展到有机的生命之转变的关联。其次，说到机械论的生命观，机械论者的特征，在于把自然体系中复杂的东西还原而为简单的东西。换言之，就是他们要以低级存在形态的法则，去理解高级存在的形态。依照机械论者的见解，有机物不过是一部复杂的机器，它所表现出的生命现象，都可以用一般物理的化学的法则去说明的，这就是说，生物学之现象的一切内容是可以还原成物理化学上的法则的。机械论者们这种见解，在实际上，是否认了有机生命之发展的特质，同时也就是否认了世界现象的发展。“我们决不能否认，每一个高级形态运动，常常必然地与真实的力学的（或是外表的，或是分子的）运动结合着。高级形态的运动里往往可以产生其他运动形态。例如，若没有热和电气的变化，则化学的作用是不可能的；若没有机械的，分子的，化学的，电气的，热量的，以及其他种种的变化，则有机的生命也是不可能的。然而，单只这种运动形态的存在，也还不能竭尽各种状况中主要形态的本质。”[1]在有机与无机界之间，固然没有绝对的境界，但是有机生命的现象，与无机物比较起来，是有其质的差异的。有机体的生命活动，固然包含了物理化学的运动形态，甚至也包含了最低级的力学的运动形态，然而，有机生命的现象，不但不是力学的运动形态所可完全说明的，而且也不是比较高级的物理化学的运动形态所可完全说明的。因一般机械力学，物理化学的运动形态，与生命的运动形态比较起来，终是副次的，低级的。生命现象是有它自己特殊的性质，和因此表现出来的特殊的运动法则，因此，我们认为有机界与无机界之间，关联和区别，都是存在的。这就是有机的自然与无机的自然之间所存在的同一与区别的统一。

机械论者与活力论者，其所持的论据，都不能正确地把握生命的本质，前者只知道有机物与无机物之统一性与关联性，而漠视了有机生命之独有的特殊性；后者则被幽囚于与机械论正相反对的另一极端，在神秘的见解之下，高调生命现象的特殊性，因而把生命现象归结于超感觉的，超物质的那种所说的“活力”。

---

[1] 恩格斯:《自然辩证法》。

机械论的生命观与活力论的生命观，都违反了客观真理，所以，在知识价值上，都是低下的，渺小的。此为一般人之所同意，无须更为喋喋。

上面所说的空间与时间的问题，以及有机生命的问题，已足以说明知识之有价值与否，当以合乎客观的真理与否为最后之权衡。像类似这样的例子，真是不胜枚举。关于真理之认识，除了被历史的条件所限制而外，还不免受社会的生活关系所限制。如像最近德国一般市民学者关于人种学所建立的妄诞荒谬的理论，就是一个证明的例证。由此种种，所以，我们特别提出客观的真理作为估量知识价值的三个标准。

如前所述，寻常对于教育价值的讨论，乃是集中于检讨课程里面各科所要求的价值，课程的编选，即须以此为根据。但是，估量教育价值的标准，绝不是一成不变的，所以，我们对于这个问题，只是作原则的提示，而不作个别的科目的讨论。

最后，我们可以把杜威的话，征引出来，作为本节的结论："我们现在的课程，常常装满纯属因袭传统的材料与少数有势力的人所爱好的科目，所以，我们对于课程须常常观察，常常批判，常常改订，使它能够达到它的目的。此外，或有一种的危险：课程所代表的是成人的价值，不是儿童与青年的价值，或它所代表的价值是一代以前的学生的价值，不是今日学生的价值。因为这个缘故，我们须有批判的眼光与观察。”[1]

二　教育的效能

在教育的理论上，关于教育之效能的问题，是一个最重要，最有意义的问题；然而，又是一个最困难，最复杂的问题。为了这个问题，已经使从古到今的教育理论家费了无限的心血了。可是，在教育史上，再没有其他的问题，像教育之效能的问题这样异说纷纭，至今不决的了。同时也再没有其他的问题，像这个问题这样，连最卓绝的教育思想家和教育理论家意见相左如此之远，陷入于谬误如此之深了。我们推究其原因，一方面是由于这个问题难下严正的科学的解答；另一方面也是由于一般的教育者多半为形而上学的意识所迷误，沉溺

[1] 杜威:《民本主义与教育》，第十八章。

在唯心主义的泥沼之中，缺乏明了合理的识见。所以，当他们解答这个问题时，不是主观的武断，便是抽象的思辩。

历来的教育思想家与教育理论家，关于教育的效能，这一问题的答案，可划分为两个不同的阵营。有一派的教育家，他们所持的理论，极力推重教育的效能，他们认定教育有无限的效能。这一派教育家的理论，我们可归之于一般所谓"教育万能说"的阵营里。在教育学史上最能代表这种教育理论的，当首推英之洛克（John Locke）。我们知道洛克是十七世纪英国重要的哲学家，并没有关于教育的系统的著作。他于晚年所著《关于教育之思想》（*Some Thoughts Concerning Education*）并不是一种体系完整像康美纽斯（John Arnos Comenius）的《大教育学》（*Great Didactic*）一般的系统的著作。但是，他这部著作之于教育思想，正和他的《人类悟性论》（*Essay Concerning Human Understanding*）之于政治思想一样，具有伟大的意义。他是依据哲学的见地说明教育之重要。

洛克哲学的中心思想，在消极方面，他否认天赋观念之存在，在积极方面，他以为一切知识都以经验为来源。关于这些问题，洛克在他的《人类悟性论》中有详细的分析。在这部著作中，以唯物论的见解，论讨关于认识论上诸问题，确定知识之起源并且以坚决的态度，批判天赋观念论之谬误。根据洛克的意见，“人的精神最初仿佛是一块干净的黑板，一张未经写字的白纸。由于我们感觉活动的结果，这一张纸内容就逐渐充满了生活。精神经过经验而取得了种种的表象。我们只能从经验中得到认识。经验是由两种观察而取得的：第一种观察之对象是外界事物（感觉）。第二种观察之对象则是内部生活（反省）。我们得到各种观念，或是由于感觉，或是由于反省，从事反省之精神状态之发生，既然只是外界给予我们以某种刺激之结果，可见我们要承认我们的一切精神生活之最初源泉，乃是感觉。没有感觉便没有意识”[1]。

在洛克的哲学体系中，即是否认天赋的观念，即是认定一切知识全由于经验。在这样的哲学见地之下，教育的作用便是增加经验，因此，教育对于被教育者便有

[1] 伏尔佛逊:《辩证法的唯物论》。

无限的可能。洛克从这个见地出发，所以终于达到以下的结论：

> 我们日常所见的人们，他们是好是坏，有用无用，什九都是由于他们所受的教育决定的。人类之所以有千差万别，便是教育的力量。我们儿时所受的印象，那怕极微极小，小到全不觉得，都是有极重大极长久的影响的；正如江河之源泉一样，水性至柔，一点人力便可以导入他途，使河流的方向根本改变；根源上这移动一点点，但是趋向既异，终结地的差别便相差得极远了。[1]

洛克的教育思想，在这里所引用的文句中，我们可以看出他是高唱教育万能的了。

然而还有另一派的教育家，他们的见解，却和上面所说的正相反对。他们否认教育的效能，而对于教育的评价未免失之过低，这一种教育的理论，我们可归之于

[1] 傅译：《教育漫话》。

一般所说的“教育无效说”的阵营里。在这一派的教育理论中，就其出发点之不同，又可分为哲学的悲观论派及科学的悲观论派二种；如叔本华（Schopenhauer）即以其悲观主义哲学的见地否定教育的效能。叔本华的教育思想，究竟是怎样的呢？我们且试听这位悲观主义的哲学家自己所说的话：“人性与宇宙的本质，互相共通，它是固定不移，始终如一的。如欲矫正人之弱点，或改造其性质，譬如铸铅成金，虽愚者亦知难能。”照叔本华看来，所谓个人之本质，受之于天赋，决无变更之能力，因之教育当属无效，这就是哲学悲观论一派的见解。至于科学的悲观论之见解，大抵依据于遗传的因素所决定，不因外力而改变。此种思想之终极，自以教育无效为归宿。

以上所述两派，在理论上究竟如何呢？教育的效能究竟怎样呢？这是我们急待研究的问题。

所谓教育的效能有两方面的解释：一为教育在社会过程中之作用，一为教育对于被教育者之作用。所以关于教育之效能的问题，应该从这两方面去找答案。我们试先讨论前者，即教育在社会过程中的作用。

我们在前面曾经说过，社会的历史过程是有一定的规律性的。在社会发展的过程中，生产力是唯一的能动的因素，由其影响可以解释社会生活中的一切变动。生产力的发展，在究极上，规定人类社会支配自然的程度及人类社会之特定的经济构造，因此，社会生产力的发展便成为社会分析的出发点。社会结构的系统及政治形式、法律制度，以及人类关于科学、哲学、艺术、伦理、宗教等各方面的意识形态都是和物质的生产力之一定发展阶段相适应的。在每一生产力发展不同之阶段，便产生与之相适应的社会的生产关系，而形成某一特定的经济的物质的下层构造，更形成与此下层构造的经济关系相适应的政治形式和法律制度的上层建筑物，以及一部分直接受经济所决定，一部分由社会政治制度所决定的各种意识形态。生产力一发生变动，则从经济关系的基础直至上层的政治形式、法律制度，乃至与之相适应的各种意识形态都随之而发生变化。社会的经济基础上的改变，必然引起建筑物上的改变。这样说来，生产力与生产关系是决定整个社会与文化发展过程的因素，而政治、法律、科学、哲学、艺术、伦理、宗教等等，则是被决定的现象。所以社会的发展法则就是以生产力为其根本动力。

在社会结构中，教育亦如政治、法律，以及科学、哲学、艺术、伦理、宗教等社会现象有其一定的位置，它是社会的上层建筑物的一种形态，它的形式和内容是被社会的生产力所决定的，且随着经济的变动而变动的。但是，“建筑物虽然在基础影响之下发生和发展，但转过来也影响基础本身”。教育这上层建筑物，不拘在理论上，抑或在事实上，对于经济关系之发展，以及社会的生产技术之发展，确有一种反作用存在着。我们可以说，教育在整个社会发展上，在文化演进上，有其推动的作用，这是谁也不能否认的。不过，在另一方面，基础和建筑物的相互影响，决不是均等的。这两种作用，不论从其来源上看，或是从结果上看，都不是一样的。基础对于建筑物的影响，直接的基本影响，它有主导的决定作用。反之建筑物对于基础的反影响，归根结底，还是导源于经济，它只能在一定限度内发生其作用，教育虽为社会进步的动力，可是，它的力量最终还是受社会的物质的生产力所决定，所制约。所以教育的作用是有一定的限度的。总结起来我们可以这样说：在社会的演进过程中，教育有相当的作用，但是，不曾有决定的作用。

其次我们再继续考察教育对于被教育者的作用。

我们要了解教育对于被教育者究竟有何种作用，应该进而研究遗传、环境与教育三者相互间之关联。

人的一切性质，在优生学家以及一般遗传学家看来，完全为遗传所决定，这就是所谓"遗传决定说"。他们以为："一切生物的主要性格，先已为遗传所规定，这是无疑的。至于我们家庭的特性是我们两种的本质所规定的。当胚细胞形成的时候，遗传因子的混合和分配，又当两性受胎时，胚细胞的偶然结合，我们一生的性格就在这个很短的时间被决定了。我们体质的、生理的、心理的可能性，都早已预定于我们所出自的胚细胞中。所有我们的人格上的特征和我们的身体同时降生，除了最小的限度外，不容稍有改变。千锤百炼施尽教育的功能，终难变下愚为上智。"[1]"人格完全预定于遗传之中，一切教谕，劝导等都是无用的。所谓自由、责任、义务，

---

[1] 康克林：《遗传与环境》。

都是幻想的名词。一个人对于社会的有用与否，完全看遗传如何。”[1]这种“遗传决定说”重视遗传的作用，抹煞环境的影响，并且进而否认教育的可能。

这种见解实是一种错误。一般遗传学家所说的遗传因子或遗传单位固然被包含在遗传的个体之中；然而遗传因子或遗传单位之发展或被埋没却都为环境所决定。遗传与环境，在生物个体的发展过程中，不是两个对立的因素，而是两个互相依赖的条件。如果没有环境的刺激，则遗传的可能性无从实现；反之，如果没有遗传的可能性，则环境的刺激也不能发生影响。遗传是具有可能性的，环境是将可能性变成现实性的。两者是互相依存不能缺一的。

一切生物，发展的可能，都大于发展的实在，其变移发展的状态，与其认为遗传所决定，毋宁认为环境条件所决定。“由遗传而得来的机体及其机能，不是一成不变的。其质与量的转变，都是环境的结果。这也是人类和一般生物的共通点，比如说，人的脑在物质的机体上有司记忆的物质组织，随着这组织而存在的有司记忆

[1] 康克林:《遗传与环境》。

的技能，但是要发挥这一机体所具有的机能，必须要在生活环境中有可供其记忆的事物的诱致；并且这种记忆能力的发挥以及其强弱，都看我们运用它的多寡，假使我们所常用的是想像力而不是记忆力，则我们的记忆力是不能强于任何人的，倒是想像力强于记忆力。假使我们所做的事是常常使用记忆力的，则我们的记忆力才可以发达得比别人强。又如计算能力，我们如果常用暗算来计算，那么，别人问我们的数目，我们必定比别人答复得快而且正确，反之必答复迟缓而且不正确，这就是机能的发挥有待于学习，环境对于这些机能的继续不断地去改变它的质量的证明。”[1]像类似这样的例子，在动物界中更容易发现出来。比如说，动物的目，在物质的机体上有司视觉的物质基础，随着这种组织而存在的，有辨别色彩与感知光线的机能，但是这一机体所具有的机能，能否发展，以及发展的程度如何，则纯由所处的生活环境来决定。如穴居之兽以及海底之鱼，常多盲目，这不外是久处黑暗，不用其目之结果，反之如蝙蝠之翼，鼹鼠之掌以及长颈鹿之颈，则不外适应于生活环境，累

[1] 刘敏:《人类学体系》。

世相承，所以能成特殊发展之现象。这样看来，生物的机体，是具有可塑性的，是能随环境之变化而变化的。

人类固然没有自己的体质构成适应各种生活环境的特性，但是，人类的智力或能力之发展与消灭，则依然由各个人的环境来决定。“智力只是一种学习的可能性。所以，必待环境而后才能完成。有适宜的环境，自可作非常之发展，然因环境恶劣而埋没之天才，实在很多。”“人之智愚、贤否、成败，皆是环境造成的。所以我们不必看重天才的本质，而应看重环境的本质。”[1]在讨论遗传与环境的关系时，我们不要忘记了“人是环境的产物”这样一个基本的原则，而陷入于玄学的泥沼之中。“环境的变化愈复什，则遗传的能力的重要愈见降低。正如一株果树的成长，要由土壤、水分、光线等来决定它一样。环境相同，而遗传的能力有高下，则能力高者固易成就，但亦只是容易而已。遗传能力相同，而环境有优劣者，则环境优者不仅容易，且必有成就。有天才的遗传而环境绝恶，则天才必被牺牲；有天才而环境平庸，则天才亦为庸人；天才只有在天才的环境中才

[1] 以上均见《二十世纪》第一期《评优生学与环境论的论争》。

能形成。反之，遗传虽为低能而环境绝优，则低能可为中才；中才而环境绝优，则中才可为天才了。以个人来说，遗传的力量是定数 A，环境则是变数 X，他的发展 AX 这个数目当然要由 X 来决定。所以，我们可以说，环境支配遗传。”[1]

总而言之，人和其他一般生物一样，也是具有可塑性的。环境的势力，对于个人的发展，其作用之大，尤超过于遗传力。不论是谁，都绝不会超越环境而自由发展。

在以上的论究中，我们已经指示出如下所示各点：（一）遗传所赋予我们的，只是各种特定的能力，而无特定的内容；（二）遗传的能力乃是一种倾向，一种可能性，换言之，即是一种可塑性的出发点；（三）人是具有可塑性的，遗传的能力之能发展要由社会的环境来决定。

根据这三条原则，则教育之对于被教育者的作用，我们便很容易找出一个正确的结论，即是：人既是具有可塑性的有机体，有容纳各种训练的可能性，除了环境

---

[1] 见《二十世纪》第五期《教育学的理论问题》。

而外，对于个人的发展上，可视为最有力的要素的，则莫过于教育。

教育对于个人的影响之重要，证诸事实，是为一般人所肯定的。我们都知道达尔文、牛顿、爱迪生都是在自然科学上有伟大的功绩的人物，但是，他们如果没有锻炼的机会，则他们所赋有的卓越的天才亦将无从发展。达尔文依照他一生考察的结果，曾发出一种意见，他以为各人的能力的关系还小，而运用与否之关系则更大。他一生著作宏富，自己曾留下了一种有兴趣而很谦逊的评语道："我以笨拙耐久的工作来做出一种笨拙耐久的著述。"[1]在他这个自述的文句中，也可看出使用与训练的重要了。但是，根据遗传学上的原则，在一切环境中或社会生活中所获得的东西，其遗传与否，要看它是否使机体与机能有所改变，其能影响机体的组织或生理的机能的这种后天的获得性才可以遗传，否则不能遗传，所以教育的功用，只能多奏效于受教育的个人，而不能多有所影响于后代。在智力方面，如因继续使用某种机能的结果，致引起生理组织上的变化，这种机体组

[1] 参看拙译:《遗传与环境》。

织上的改变当然可以影响于其子代，但是，要发挥这一机体所具有的机能，必须要在生活环境中有可供其发展的机会。

在上面这个简单的说明中，就可以看出教育对于被教育者的作用了。

历来的教育思想家与教育理论家对于教育的效能的问题，他们的评价，不是失之于过高，便是失之于过低。他们的态度，不是流于主观的武断，便流于抽象的思辩，所以他们所得到的结论都是没有正确性的。

我们对于这个问题，分作两方面来考察，即是，一方面从社会学的见地确定教育在社会过程中有作用而无决定的作用，这样可以打破“教育万能说”的迷梦；另一方面，我们又从生物学的见地确定教育对于被教育者的作用，认为人是具有可塑性的机体，有容纳各种训练的可能性，这样，又可纠正“教育无效说”的谬误。

这就是科学所指示我们的教育效能观。

三联经典文库第二辑简目

《游击战教程》　明凡 / 著

《游击战术纲要》　陶剑青 / 编著

《汪精卫卖国的理论与实践》　钱俊瑞 / 著

《抗战以来》　韬奋 / 著

《陕行纪实》　楚云 / 著

《随军散记》　沙汀 / 著

《被日寇囚系半载记》　王研石 / 著

《倭营历险记》　房沧浪 / 著

《活跃的新西北》　田影 / 编著

《保卫华北的游击战》　刘清扬　陈北鸥等 / 著

《徐州突围》　《徐州突围》编委会 / 编

《沦亡的平津》　长江　小方等 / 著

《淞沪火线上》　胡兰畦等 / 著

《瞻回东战场》　长江　罗平 / 著

《东线的撤退》　胡兰畦等 / 著

《抗战中的西北》　徐盈 / 著

《鲁闽风云》　徐盈等 / 著

《西线生活》　西北战地服务团集体创作

《中国解放区见闻》　［美］福尔曼著 / 朱进译

《全面抗战论》　潘汉年 / 著

《日本的间谍》　范士白自述 / 尊闻译

《日本大陆政策的真面目》　国难资料编辑社 / 编

《民众动员论》　李公朴 / 著

《中国外交史》　钱亦石 / 编著

《太平洋军事地理》　蒋震华 / 著

《世界经济地理讲话》　思慕 / 著

《列强军力论》　［德］马克斯 · 威纳尔著 / 宾符　仲持　梅益等译

《近代国际关系史》　张铁生 / 著

《太平洋现势手册》　沈志远　石啸冲 / 编著

《近代世界政治史》　钱亦石 / 著

《从战争到和平——一九四五年的世界政治》　乔木 / 著

《战后日本问题》　思慕 / 著

《最近一年间的国际动态（1946.7–1947.6)》　《东北日报》社 / 编

《论政党》　翟放 / 著

《法与宪法》　韩幽桐 / 编著

《中华民国宪法刍议》　罗家衡 / 著

《民主 · 宪法 · 人权——作之民》　费孝通 / 著

《宪法论初步》　潘念之 / 著

《对反民主的抗争》　韬奋 / 著

《农村改进的理论与实际》　江恒源 / 著

《上海产业与上海职工》（上下）　　朱邦兴　胡林阁　徐声 / 合编

《陶行知教育论文选辑》　　陶行知著 / 方与严编

《中国通货膨胀论》　　杨培新 / 著

《中国及其未完成的革命》　　H·普拉特著 / 蒋天佐译

《中国的建设问题与人的训练》　　卢作孚 / 著

《论中国特殊性及其他》　　艾思奇 / 著

《中国经济问题讲话》　　钱俊瑞　徐雪寒　王渔邨　姜君辰　骆耕漠 / 合著

《中国经济的道路》　　许涤新 / 著

《中国财政之病态及其批判》　　孙怀仁 / 著

《官僚资本论》　　许涤新 / 著

《五四运动之史的评价》　　陈端志 / 著

《中国通史简编》（上下）　　中国历史研究会　范文澜 / 主编

《论文学的工农兵方向——读〈在延安文艺座谈会上的讲话〉》　雪苇 / 著

《中国近代史（上编　第一分册）》　　武波 / 编著

《文学百题》　　傅东华 / 编

《中国史学之进化》　　周谷城 / 著

《论民族形式问题》　　胡风 / 著

《论批评》　　荃麟等 / 著

《中国史纲》（第一卷上下、第二卷上下）　　翦伯赞 / 著

《近代中国思想学说史》（1–4）　　侯外庐 / 著

《中国政治思想史》（上下）　　吕振羽 / 著

《中国哲学史纲要》　　向林冰 / 著

《中国政治史讲话》　　钱亦石 / 著

《中国社会经济史纲》　　王渔邨 / 著

《新财政学大纲》　　千家驹 / 著

《太平天国革命运动论文集——金田起义百周年纪念》

　华北大学历史研究室 / 编

《理性与自由——文化思想批评论文集》　　胡绳 / 著

《战斗者的诗人》　　黄药眠 / 著

《国语文法》　　曹朴 / 著

《教育哲学》　　张栗原 / 著

《妇女问题讲话》　　杜君慧 / 著

《婚姻 · 子女 · 继承》　　沙千里 / 著

《性教育新论》　　布士克　雅各生合著 / 董秋斯译

《狱中杂感》　　杜重远 / 著

《七人之狱》　　沙千里 / 著

《爱迪生传》　　伍况甫 / 译

《歌德自传》（上下）　　歌德著 / 思慕译

《尼赫鲁自传》　　［印度］尼赫鲁著 / 毕来译

《列宁传》　　［苏］凯尔任采夫著 / 企程　朔望译

《罗斯福总统传》　　C. Mackenzie 著 / 张尚之译

《托尔斯泰传》（1–3）　　［英］阿尔麦 · 莫德著 / 徐迟译

《革命文豪高尔基》　［美］亚历山大·康恩著 / 韬奋编译

《鲁迅纪念特辑》　新中国文艺社 / 编

《回忆鲁迅先生》　萧红 / 著

《人民文豪鲁迅》　平心 / 著

《亡友鲁迅印象记》　许寿裳 / 著

《鲁迅思想研究》　何干之 / 著

《鲁迅研究》　夏征农 / 编

《过来的时代：鲁迅论及其他》　雪峰 / 著

《电影戏剧表演术》　洪深 / 著

《日常心理漫谈》　［美］约瑟夫·查斯特罗著 / 曾宝施译

《心理常识漫话》　朱智贤　杨云美 / 著

《读书的方法与经验》　王任叔 / 著

《美国黑人生活纪实》　［美］加德维尔　斯坦倍克著 / 董秋斯译

《初访美国》　费孝通 / 著

《事业与成功》　［美］马尔腾著 / 汪原放译

《萍踪寄语（初集）》　韬奋 / 著

《一生的幸福前途——〈生活周刊〉信箱选集》　生活书店 / 编选

《深刻的印象》　生活周刊社 / 编

《海外的感受》　生活书店编译所 / 编